CW00385841

LA NUIT DES FÉES

Tome 1

Myriam ARBO

Copyright © 2016 SAINT-LEGER Myriam
Tous droits réservés.
ISBN:
ISBN-13:9791096690008

À Élodie, ma première lectrice
À mes enfants
et petits-enfants

LA NUIT DES FÉES

Les deux terres développeront les armes et les croyances.
Les astres se multiplieront
La maladie détruira l'humanité.

Victorius l'Errant
Les prophéties de la Sauvegarde

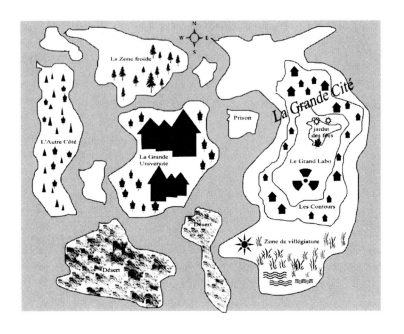

Le Globe en 2066

PRÉFACE

Vous lirez ces lignes et vous ne croirez pas à cette histoire.

C'était, il y a bien longtemps, bien avant la transmolécule, bien avant que l'homme ne marche sur la lune.

En ce temps-là, on écoutait chanter les fées, on regardait danser les elfes.

En ce temps-là, la magie existait.

Vous entendez cette voix venue d'ailleurs ? Cette voix se faufile déjà en vous.

Vous ne croirez pas à cette histoire, vous réfuterez la légende des anciens.

Qui suis-je ? vous demandez-vous. On me nomme Carmen.

Ne soyez pas impatients ! Détendez-vous, lisez, tendez l'oreille et écoutez !

Percevez-vous la mélodie ? Ces quelques vers d'espoirs venus d'entre les âges ?

Vous ne croirez pas à cette histoire.

LA NUIT DES FÉES

Chapitre 1 - temps d'avant 2   *(après la fuite)*
1ère vision de Luciane

L'aube se levait.

On apercevait la lumière du soleil au travers des arbres en fleurs.

Dans le ciel, alors que les roses et les parmes s'estompaient, un vol d'oiseaux brisait la quiétude de l'instant.

C'était l'heure où les gnomes sortaient des bois pour cueillir champignons, baies et brindilles.

Nul ne connaissait l'utilité de leur récolte quotidienne, car là n'était pas leur nourriture.

L'alimentation des gnomes ne portant aucun intérêt à notre histoire, passons cet aparté.

Les êtres de la vallée s'éveillaient peu à peu. Le bruit s'approchait. Sourdement.

— Dépêche-toi. On ne peut pas traîner, ils vont nous rattraper.

L'humain et sa monture passèrent tel un éclair devant les lutins médusés.

Voilà bien longtemps qu'un mortel n'avait foulé le sol de ces lieux !

— Que dis-tu ?

Le vent, la vitesse et le fracas des galops emportèrent la phrase.

La cavalière ne les vit point. D'un geste brusque, elle chassa une mèche, espérant de cette façon discerner au mieux la distance la séparant de son compagnon.

— Dépêche-toi, je t'en prie, murmura-t-il.

Il jeta un coup d'œil par-dessus son épaule. Elle se rapprochait.

Les chevaux s'essoufflaient.

Ce furent les fées, cachées dans la brize, les plus promptes à réagir.

L'homme aux vêtements de troubadour, la femme à la robe de velours or et vert, disparaissaient derrière une épaisse brume.

Toutes les petites créatures s'enfuirent quand ils aperçurent cent hommes et montures, en armure, s'avançaient rapidement.

— La terre tremble, le tonnerre gronde ! bredouilla l'un des gnomes.

****

— Carmen ! Tu ne respectes pas la chronologie de l'histoire.

— Igor ! Les souvenirs ne te sont pas accessibles. Je sais très bien ce que je raconte !

— On t'écoute Carmen ! Jeffran avait-il raison ? Ta mémoire faiblit.

— Non Maître ! Ceci est la première vision de Luciane. Dès leur rencontre, les scènes lui sont apparues sans logique temporelle. Je les transmets telles que la première Élite me les a confiées.

****

CHAPITRE 2 - an 2066

— Oui, bien sûr !

À quel moment avait-elle vu un film d'anciens ?

Et quel était le dernier ? Une comédie musicale racontant l'histoire d'un touriste étranger qui tombait amoureux. Il pleuvait, et l'acteur dansait, chantait. Rien à voir avec des fées, des gnomes.

Aucun souvenir de films, ni de cubes-livres évoquant de telles images.

De plus, toutes références à ces êtres imaginaires étaient interdites.

Elle les chassa de son esprit.

— Tu te transmolécules quand ?

— Dans six jours, je pense.

— Je n'y serai pas. Prévois des vêtements thermo-protecteurs. Le soleil chauffe beaucoup de ce côté-ci de la planète. Mes notes resteront à ta disposition.

— Merci de ces conseils. Oui, compte sur moi, j'en prendrai connaissance. Ton expérience du sujet me sera indispensable.

Ne pas couper le transmetteur soufflait son intuition.

Son aéro-car s'arrêta devant chez elle.

— Je suis arrivée. Beaucoup de circulation ce soir. Je coupe la com. Au revoir, je reviens le 20.

— Bonne soirée, répondit-il.

Sa voix resta en elle pendant plusieurs heures.

Tout en organisant son départ, elle para à chaque problème pouvant entraver le travail de son futur collaborateur.

L'importance de leurs travaux ne consentait aucune omission.

— Lorsqu'il arrivera, je veux que mes dossiers lui soient transmis. Son bureau est-il prêt ?

— Oui tout est déjà en place. Ne vous inquiétez pas, la rassura son assistante.

Durant son séjour antifatigue, en zone de villégiature, où les températures s'avéraient plus agréables, elle passa régulièrement des transmissions à l'AGENCE.

— Il est arrivé, il y a un quart d'heure. Il est épuisé. Je ne me suis jamais transmoléculée mais il paraît que c'est très fatigant, déclara Jeanne la secrétaire.

— Oui, c'est vrai, je préfère ne pas voyager de cette manière. Pour aujourd'hui, donne-lui l'adresse de notre repas-dortoir. Dis-lui que le programme peut attendre demain.

Son inquiétude la quitta. La transmolécule restait encore à l'état expérimental que peu osait tester.

Seules des personnes pressées, ou un peu suicidaires, songeait-elle, s'y risquaient.

CHAPITRE 3 - temps d'avant 1
2ème vision de Luciane

— Non Mirata, je préfère ce tissu !

— Mademoiselle ! Cette couleur ne s'accordera pas avec l'habit de Monsieur Firmin.

— Et alors ? Où est le problème ?

Alvina se retourna, poussa un léger soupir d'exaspération.

Elle croisa un regard bleu, malicieux.

— C'est moi qui vais porter la robe des noces, s'il me plaît, je le prends !

— Mais… Monsieur Firmin… ânonna la dame de compagnie.

— Monsieur Firmin l'aimera aussi, parce que je la porterai.

Elle hasarda un coup d'œil vers l'inconnu.

Adossé au chêne des fées, il ne la quittait pas des yeux.

La préceptrice grimaça.

— Il a mauvaise réputation dans le pays, Mademoiselle.

— Pardon ? De qui parles-tu ?

— Du troubadour qui vous contemple depuis un bon moment.

Alvina la dévisagea.

Ainsi, sous des regards fuyants, Mirata observait le moindre détail, le moindre clignement d'œil.

— On dit qu'il est l'ami de Chérum.

La jouvencelle fit entendre un rire haut et clair.

Le ménestrel haussa un sourcil interrogateur et esquissa l'ébauche d'un sourire.

— Enfin Mirata ! Toi ! Une dame très sage, tu crois à ces sornettes ?

— Je n'ai pas dit que j'y croyais Mademoiselle. Ce sont les rumeurs…

— Tss, tss, ne jamais se fier aux rumeurs Mirata. Et puis regarde autour de toi ! fit-elle en embrassant d'un mouvement de bras les alentours.

Mirata glissa quelques œillades prudentes.

En ce jour de foire, nobles et pauvres se croisaient, se saluaient, se souriaient.

— Tu vois, Mirata, tu es bien dans un monde réel ! Nous arborons presque tous la croix ! La magie s'en va Mirata. Personne ne croit plus ni aux fées, ni au démon Chérum.

— Si Mademoiselle le dit, soupira la gouvernante sentant ses articulations la faire souffrir de nouveau.

— Allez ! Viens rentrons. Monsieur Firmin me convie à sa table aujourd'hui. Je dois me préparer pour lui plaire. Et tes vilaines douleurs te chagrinent certainement. N'oublie pas l'étoffe, c'est celle-ci que je veux.

CHAPITRE 4 : an 2066

— Luciane, je suppose ? Bonjour, je suis Jeffran.

Il posa sur la jeune fille un regard bleu turquoise.

— Oui ! Bonjour !

Les images se dissipèrent.

Elle l'examina.

La veste blanche des employés de l'Agence habillait sa carrure avec élégance. L'emblème orange de la planète se détachait sur l'épaule du jeune homme. Adopté après la Grande Guerre, il représentait un cercle à l'intérieur duquel se trouvait un triangle, lui-même contenant un carré, et au sein de celui-ci à nouveau un cercle. La géométrie, les proportions étaient parfaites. Elle se demandait souvent quelle en était l'origine.

Sur le devant de la veste, au niveau de la poitrine, s'alignaient trois points de couleur jaune et d'un cm de diamètre. Chaque point représentait le grade.

Luciane avait consulté la semaine auparavant le dossier de son futur collaborateur.

Il venait d'acquérir le titre de troisième chercheur et avait déjà participé à l'autre partie du programme développée à l'Université.

— J'ai les dernières notes du Maître Bernin, reprit-elle.

— Ce serait intéressant de les comparer aux tiennes. J'ai appris que le programme devenait urgent.

Il passa une main dans ses cheveux bruns. Ils étaient ruisselants de sueur.

Elle l'avait accueilli sur la plate-forme du Grand Laboratoire. Un panneau digital affichait trente-cinq degrés.
Le foehn entraînait dans une danse aérienne la bannière planétaire.

— Tu as chaud ?

— Oui, je ne suis pas encore habitué à la température.

— Viens rentrons.

Ils traversèrent un immense hall vitré qui suivait les courbes harmonieuses de l'architecture du bâtiment. Jeffran admira la cité à travers les panneaux transparents. Elle s'étalait à plus de cent cinquante mètres en dessous. Le sol en béton ciré reflétait les ombres des parois. Il eut un instant la sensation de fouler à nouveau les couloirs de l'Université quittée quelques jours plus tôt.

Il apprécia la fraîcheur qu'offrait la climatisation.

Luciane salua plusieurs collègues et leur présenta Jeffran. Il s'efforça de retenir chaque nom, et perçut le respect et l'intérêt non dissimulé envers la chercheuse.
Elle passa un badge dans une fente, et tout un pan de mur se mit à coulisser.

— Voilà l'antre, déclara-t-elle, en le devançant.

La salle de programmation plongée dans une semi-clarté qu'offraient des rideaux de plastissu, comptait une cinquantaine de PC dernière GENA.

— Tu as là de bien chers trésors ! L'AGENCE a mis le paquet ! Il n'en fut fabriqué que cinquante. Je n'en avais jamais vu. Mais parait-il, ils peuvent calculer des dizaines et des dizaines de milliers de paramètres divers en moins de dix minutes ! Leurs algorithmes sont extraordinairement rapides.

La jeune femme sourit.

— En effet ! Les cinquante ordinateurs sont ici, dans l'enceinte du Labo. Leur efficacité nous est très précieuse.

— Je meurs de faim ! lança Luciane

— Allons manger, proposa-t-il, je n'ai pas vu la matinée passée.

— Nous traverserons le jardin des fleurs-fées.

— Fées ?

— Une vieille légende d'anciens raconte que ce jardin a été conçu par un seigneur amoureux d'une fée blanche. Au centre un vieux chêne a résisté à la Grande Guerre. En ce temps-là, les fées blanches protégeaient les humains et se défendaient contre l'invasion des fées noires qui distribuaient maladies, peines, jalousie, haine dans le cœur des hommes. C'était une longue lutte, jusqu'au jour où les elfes s'interposèrent afin de rétablir l'équilibre. Ne pouvant prendre part ni pour les unes, ni pour les autres, elles furent toutes exterminées.

Elle marqua une pause, repoussa d'un geste une mèche bouclée.

— Le pauvre homme, inconsolable, en mémoire de sa chère fée blanche dont il était follement épris, a créé ce jardin. Rostiline, sa fée adorée, aimait les fleurs jaunes. Elle était la protectrice des premières fleurs de printemps.

— Nostalgique histoire !

— N'est-ce pas ? soupira-t-elle.

— Et pourquoi y va-t-on ? Si les fées ont disparu, je suis au regret de t'annoncer que nous n'en croiserons aucune.

Luciane lui adressa un sourire narquois.

— Oui, je sais ! Les fées n'existent plus. Non, la réalité est tout autre. Il faut que tu saisisses l'importance de nos travaux et l'urgence afin de trouver la solution. N'oublie pas tes lunettes de protection, tu en auras besoin.

— Un jardin de légende ? reprit-il. N'est-il pas interdit de s'intéresser à ces contes ?

Jeffran haussa un sourcil, intrigué.

— Oui ! Un jardin de légende, répondit-elle d'un ton railleur. Le noble a choisi ce lieu précisément, car de là, lorsque l'on regarde le ciel, c'est comme si l'univers apparaissait. De cet endroit, tout est plus clair, plus lumineux, translucide.

Même les jours sombres, même les jours de pluie, même la nuit, on y voit encore le soleil. Et en réponse à ta question, seules les personnes faisant partie du programme connaissent cette fable.

Le jeune homme douta un instant.

"Elle me fait marcher, pensa-t-il"

— La magie aurait-elle laissé son empreinte ?

Il observa sa collègue, et sentit sa sincérité.

"Non, elle ne me fait pas marcher".

— Je l'ignore. De nombreux maîtres-savants ont tenté d'élucider le mystère. Sans succès. Les "pro-légendes", disent que c'est un legs venu des temps très anciens. Une source, une clé.

— Ah oui ! Les "pro-légendes", je me demande comment est né ce mouvement.

— Je pense que c'est dans la nature humaine de croire en quelque chose.

À la lisière du jardin des fées, le parfum enivrant surprenait. Il s'insinuait dans la bouche, imprégnait la peau, les cheveux, les vêtements. L'abondante variété de fleurs jaunes offrait un spectacle inouï.

Roses, primevères, tulipes, bégonias, genêts, chélidoines, dahlias, renoncules, forsythias, mimosas, gentianes, giroflées, lys, orchidées, millepertuis, tournesols se côtoyaient.

Le scientifique fut surpris par la clarté d'une pureté exceptionnelle qui enveloppait les lieux. Une luminosité indescriptible. Il apprécia la fraîcheur de l'air.

— Lève les yeux, murmura la jeune femme.

Elle s'approcha de lui, il sentait son épaule frôler la sienne.

Était-ce ce contact, ou ce qu'il distingua qui le fit frissonner ?

— Grande Nature ! s'exclama-t-il

— Tu parles comme les "pro-légendes", à présent ? dit-elle dans un sourire fugace.

Il tournoya sur lui-même, lentement, tête haute, les yeux écarquillés derrière ses lunettes de protection, tournés vers les cieux.

— Maintenant tu sais l'urgence. Nous avons un an, annonça Luciane la voix grave, pour sauver l'humanité, ce qu'il reste de vie depuis la Grande Guerre des anciens. Si nous échouons, tout aura été vain.

Jeffran resta stupéfait. Aucune pensée, et tant de réflexions à la fois.

Sans mot, ils reprirent leur chemin.

CHAPITRE 5 - temps d'avant 1
3ème vision de Luciane

— Ma chère Alvina ! Allez-vous encore vous promener chaque semaine au marché ?

— Oui Firmin. Cela vous apporte-t-il quelques désagréments ?

Le gentilhomme se tenait près d'elle. Rêveur, il admirait les doigts de la jeune femme. Ils couraient sur une tapisserie aux motifs lumineux. L'océan. Il se souvenait de ses années en tant qu'officier marin. La plus belle flotte du pays, la plus résistante, la plus victorieuse.

Firmin revint au moment présent.

— Quelle innocence dans ces yeux verts ! pensa-t-il en plongeant son regard dans celui d'Alvina.

— Oh que nenni ! Je voulais vous mander une faveur ma chère promise.

— Tout ce qu'il vous plaira, Monseigneur, si toutefois nul préjudice moral ou de bienséance ne venait à m'incomber, plaisanta-t-elle

— N'ayez crainte. Loin de moi le désir de vous nuire.

— Voilà, reprit-il, après avoir déposé un léger baiser sur la main délicate de sa fiancée. Mon cher et tendre père fêtera prochainement soixante-quinze ans. Vous savez que c'est un homme bon et charitable, mais aux goûts, comment dirai-je ?

Il marqua une courte réflexion, avant de continuer sa requête.

— Farfelus.

— Oui, peut-être, je ne saurai dire, hasarda Alvina. Désirez-vous que je vous suggérasse une idée de cadeau ?

— Que vous en fassiez l'acquisition sur la foire. Nombre d'artisans y sont présents. Certains font de très belles pièces originales et uniques. J'ai entièrement confiance en votre jugement.

— Comme il vous siéra.

Firmin embrassa sa promise sur le front. Il jeta un dernier coup d'œil vers l'âtre crépitant, puis quitta le salon.

Alvina entendit ses pas s'éloigner le long du corridor.

— Voilà une mission épineuse, estima-t-elle.

Firmin de Valois était le fils unique de Sieur Gustin de Valois et de la défunte et regrettée Milène de Casterre.

Jolie femme au teint brunâtre et au tempérament fougueux, elle était la tante d'Alvina et avait transmis à sa nièce le goût de l'aventure, des lectures. Alvina gardait en souvenir les moments qu'elles partageaient derrière les fourneaux. Au grand dam de Sieur Gustin, Milène prenait place parfois aux cuisines et confectionnait de merveilleuses tartes aux fruits de saison, dont il était friand, il devait bien l'admettre en son for intérieur.

L'un des frères de Milène de Casterre était le père d'Alvina. Aussi était-il naturel que le mariage des deux jeunes gens fût prévu depuis leur enfance.

Alvina avait de l'affection pour le brillant navigateur. Au fond de son cœur, elle devinait que cette affection ne traduisait pas un véritable amour.

Leurs noces arriveraient bientôt.

Au printemps. L'hiver s'approchait. Et mille préparatifs l'attendaient. Elle soupira malgré elle.

CHAPITRE 6 : an 2066

— Deux semaines de travail intensif, et toujours pas une once de solution. Je ne sais plus quoi penser, je désespère ! D'accord ! Je ne devrais pas, souffla Jeffran. Excuse-moi. Je suis égoïste. Tu y travailles depuis des mois, et tu ne te décourages pas.

— Je reste confiante. Le résultat est proche. Je le sens. Seulement, voilà, je n'arrive pas à mettre le doigt dessus. Et pourtant il le faut, murmura-t-elle.

Songeuse, elle tripota l'amulette qui pendait à son cou. Jeffran le remarqua.

— Joli bijou.

— Merci, sourit Luciane. C'est un bijou de famille. Nous nous le transmettons de mère en fille au fil des générations. Notre légende familiale, et non je ne suis pas une "pro-légendes", fit-elle en faisant danser son index devant le nez du jeune homme, ne te mets pas de fausses idées en tête.

Il se mit à rire.

— Je ne crois rien, sauf que tu sembles être un puits intarissable de vieilles légendes. Donc ta vieille légende familiale ?

Elle afficha une moue boudeuse. Il avait remarqué à maintes reprises cet air mutin, lorsqu'elle analysait une liste de données chiffrées et interminables.

— Donc, « Monsieur le curieux de je me moque mais je veux tout savoir quand même », la légende raconte qu'il viendrait de l'époque que les anciens appelaient le moyen-âge.

— Au temps des fées, plaisanta-t-il

— Peut-être, fit-elle d'un ton volontairement mystérieux.

CHAPITRE 7 - temps d'avant 2 *(après la fuite)*
4ème vision de Luciane

— Alvina !

Erwin lui caressait avec douceur le visage.

Elle ouvrit les yeux.

L'air embaumé des pins emplit ses narines.

— Réveille-toi, reprit-il. Il est temps de repartir.

— Où m'emmènes-tu ?

— Au mont Chérum.

Elle bondit sur ses pieds, le regard effrayé.

— Tu es fou ?

Mirata avait-elle raison ?

— Pas du tout. Le mont Chérum n'a de démoniaque que le nom. Et nous y serons en sécurité. Il faut nous y rendre.

— Pourquoi là-bas ?

— Je l'ignore. Mais nous devons y aller.

Il la prit dans ses bras.

— N'aie crainte. Je ne te ferai subir ni douleurs, ni peur, ni autre chose que le don de mon amour.

— Bien, dit-elle, quittons cet endroit.

CHAPITRE 8 : an 2066

Luciane pensait à sa mère. Celle-ci était restée alitée un long mois. De sa chambre de soins, au travers la baie vitrée, on apercevait les premiers bourgeons sur les arbres. De rares oiseaux chantaient.

Leurs mélodies libéraient des tonalités rauques. Depuis la Grande Guerre, l'espèce animale se raréfiait, mais les saisons avaient conservé leur rythme.

Les rayons de soleil tentaient de percer dans un ciel d'un bleu pâle.

Luciane prit la main tremblante. Le visage était livide. La vie semblait s'y échapper. L'espoir devenait vain. Les soigneurs l'avaient prévenue.

— Madame Grenier est très faible. Le virus a atteint le système neurologique et sanguin. Nous sommes impuissants. Il ne lui reste que peu de temps.

À cette annonce, la jeune chercheuse ne chercha pas à dissimuler sa peine. Trop longtemps endigué, un flot de larmes la submergea. Muette, elle hocha la tête, comme un signe de compréhension et de remerciements envers la délicatesse des soigneurs.

Ils avaient soulagé au mieux les douleurs de sa mère, ils s'étaient relayés pour ne jamais la laisser seule. Il est vrai que le statut privilégié de celle-ci appelait tout naturellement ces actes de compassion et de bienveillance.

En voyant sa fille, Klara Grenier esquissa un maigre sourire. Une étincelle fugace de joie traversa les prunelles claires et fiévreuses.

— Ma petite !

Elle articula ses mots dans un râle. Une quinte de toux l'assaillit.

— Chut… Ne dis rien mère… Repose-toi.

— Il faut… Que tu… Je dois…

L'effort paraissait impossible. Prononcer une phrase représentait une dépense d'énergie surhumaine.

D'un geste lent, elle désigna l'amulette qu'elle portait autour du cou.

— Prends-la.

La voix devenait inaudible.

— Elle te revient… Tu es le lien. Nous avons toutes compté… Jusqu'à notre dernier jour.

Elle se tut, épuisée.

Luciane questionna doucement.

— Qui a compté ? Quel lien ?

— Nous… Toute notre génération. Le lien du secret révélé. L'amulette. Elle te le dévoilera bientôt.

Jeffran s'était aperçu de la tristesse qui avait assombri les prunelles vertes de la jeune chercheuse.

Absente, le regard fixe, elle ne bougeait pas, ne pipait mot.

Quand sa collègue sembla enfin revenir à elle, il l'interpella.

— Tu bayais aux corneilles ?

— Je quoi ?

— Tu es restée une bonne demi-heure quasi immobile, les yeux vides de toute expression.

— Autant ?

Elle passa une main derrière la nuque.

— J'ai revécu les derniers instants de ma mère.

— Je suis désolé.

Il afficha un air compatissant.

— Il y a longtemps ?

— Au printemps dernier. La maladie l'a foudroyée en un mois. C'était une femme intelligente, active.

— Et nous lui devons tant ! souffla-t-elle

Jeffran ne l'entendit pas. Il haussa un sourcil inquisiteur.

— Après la mission, je combattrai ce virus. Il a déjà fait tant de dégâts. Et si nous ne réussissons pas, cela n'aura plus d'importance.

— Alors au travail ! Et trouvons une solution.

CHAPITRE 9 - temps d'avant 1
5ème *vision de Luciane*

— Mirata ! Cet après-midi, nous allons à la foire.

— Oui Mademoiselle. Je conseille à Mademoiselle de protéger ces frêles épaules par l'étole que Monsieur Firmin lui a ramenée de son dernier voyage.

— Excellente idée ! Mais hâtons-nous. Monsieur Firmin m'a confié une bien délicate tâche.

— Quelle est cette besogne, si Mademoiselle le permet ?

— Je dois m'enquérir d'un cadeau pour l'anniversaire de Monsieur de Valois et Firmin m'a proposé de le quérir sur le marché à un Maître artisan.

CHAPITRE 10 - an 2066

Luciane se réfugia au Jardin des fées.
Pensive, elle regardait le ciel sans nuage. De jour en jour, l'astre se devinait plus nettement.
Durant les premières semaines de travail avec son nouveau collaborateur, ils déjeunaient ensemble. Elle appréciait ses instants de détente et prisait leurs conversations. Davantage qu'elle n'osait se l'avouer.
Elle trouva une parade afin d'éviter ces rendez-vous quotidiens. Luciane était fille unique. Néanmoins, elle inventa l'existence d'une sœur qui la sollicitait chaque midi.
Elle ne comprenait pas ces flashs. Ils s'imposaient au moindre contact avec Jeffran. Trop de pensées l'assaillaient. Des réflexions, des doutes, des interrogations.
Le lien dont sa mère avait parlé, comment combattre la menace, le virus qui continuait à décimer des milliers d'humains, le tourment en présence de son associé, ces images d'un passé ignoré.

Elle appela sa secrétaire.
— Jeanne s'il te plaît, peux-tu prévenir Jeffran que je ne viendrai pas au Labo cet après-midi. Ne t'inquiète pas, tout va bien. À demain.

Elle coupa la communication rapidement. Elle n'était pas d'humeur à supporter les remarques de son assistante.

Luciane se dirigea vers son aéro-car. Ses recherches allaient prendre un cap différent, décida-t-elle.

Les aéro-cars furent construits peu après la Grande Guerre des anciens.

C'étaient des engins aériens, de forme ogive, maintenus par un câble. Leur vitesse pouvait atteindre deux cents kilomètres par heure. Ils se croisaient, s'entrecroisaient, sans répit, au-dessus des immeubles de verre. L'intérieur était une cabine de quatre places pour les plus spacieux, aux sièges recouverts d'un tissu amarante. Au travers des hublots latéraux, les passagers profitaient d'une vue imprenable sur l'étendue de la Grande Cité. Le choix d'une destination se faisait par simple commande vocale.

Durant le voyage, elle se souvint, de leur premier repas prit ensemble. Jeffran l'avait accablé de questions concernant la Grande Cité. Il était alors fasciné par les aéro-cars.

— Pourquoi cette technologie ne fut-elle développée qu'après la Grande Guerre des anciens ?

— Je pense que l'humain a compris que le fait de construire des armes irait à sa perte inexorablement. Il a pris un autre chemin, celui de la créativité et enfin il l'utilise à bon escient, suggéra-t-elle.

Elle chassa cet épisode en franchissant le seuil de sa maison. Une voix l'accueillit.

— Bonjour Luciane, tu rentres tôt aujourd'hui. Je n'enregistre pas de déficience organique, mais ton activité cérébrale me semble au maximum.

CHAPITRE 11 - temps d'avant 2 *(après la fuite)*
6ème *vision de Luciane*

— Je ne peux pas te répondre Alvina, je ne connais pas cet endroit.

— Alors nous sommes perdus, qu'importe après tout, nous voilà ensemble et les soldats de Firmin doivent être loin à présent.

— Peut-être. Je crois que les fées nous ont aidés, mais ton cousin ne s'avouera pas vaincu, il continuera ses recherches.

— Regarde, Erwin, le coucher de soleil sur le fleuve, comme c'est beau ! soupira la jeune femme. Je me sens si courbatue !

Il se plaça derrière elle, et lui massa la nuque. La chaleur de ses mains apaisa la douleur.

Elle ferma les yeux, et savoura ce moment de paix et de repos.

Deux jours où ils s'étaient enfuis du château, deux jours de chevauchées effrénées, avec de rares pauses.

— Firmin s'est rapidement aperçu de notre fuite, songea-t-elle, il nous suit de peu.

Elle vérifia, pour la énième fois, si le petit sac de velours était toujours suspendu à la cordelette de cuir.

Elle s'endormit apaisée d'esprit.

CHAPITRE 12 : an 2066

— Bonjour Carmen, ne t'inquiète pas de mon activité cérébrale. Fais-moi couler un bain.

— Je pense que je vais y ajouter de l'huile essentielle de fleurs d'oranger. Cela t'apaisera.

— Projette en même temps l'écran du cube-livre de recherches multiples.

Carmen était un ordinateur. C'était un autre progrès technologique de l'après-grande-guerre des anciens. Seules quelques Élites possédaient ce genre d'unité centrale à leur domicile. L'affiliation de Luciane et son métier de chercheuse auprès de l'AGENCE lui offraient ce privilège.

La machine détectait son état physique et mental, afin de combler au mieux les besoins de la jeune femme.

Bain, repas, musique, lumières tamisées, la maison se transformait alors en véritable lieu de repos.

Luciane visualisait des clichés au hasard. La voix synthétique retentit.

— Que cherches-tu ?

— Je l'ignore.

— Tu ne trouveras pas de réponses, si tu ne connais pas la bonne question. Commence par quelque chose. Par le début.

Elle ferma les paupières un instant.

— Carmen, raconte-moi l'histoire des "pro-légendes". Dans les archives de l'AGENCE, il doit y avoir des articles à ce sujet.

— C'est interdit.

— Oui, oui, mais on peut enfreindre l'interdiction.

— Cela prendra trois minutes exactement. Il faut que je neutralise les autres ordinateurs. Et que j'envoie un leurre. Tu le sais, nous sommes tous reliés, et nos directives sont analysées.

— Je sais Carmen, soupira Luciane. J'étais en partie conceptrice du programme. Je sais aussi que tu peux le dévier. Il y a une faille au cœur du système. Et s'ils t'interrogent, dis-leur que je procède à mes recherches pour la sauvegarde.

Elle passait sous la douche chauffante et parfumante, quand les images se mirent à défiler sur les écrans. Une voix venue d'outre-tombe s'éleva.

CHAPITRE 13 - temps d'avant 2 *(après la fuite)*
7ème *vision de Luciane*

Firmin leva la main. Les soldats s'arrêtèrent sur-le-champ.
Il reconnaissait la clairière.
C'était celle dans laquelle ils s'étaient engagés plus tôt. Le soleil déclinait, la lumière de fin de jour filtrait à travers les branches des arbres. S'il n'était pas désorienté, s'il n'était pas troublé, il aurait certainement apprécié le spectacle que la nature offrait.

Il entendait le chuchotement parmi les rangs.

— Nous étions ici quand le soleil était au zénith !
Ils avaient parcouru plus de cinquante kilomètres, droit devant eux, les chevaux étaient éreintés, ses hommes étaient harassés, comme s'ils avaient combattu sans relâche.
— Je ne comprends pas, se dit-il, pourquoi sommes-nous revenus sur nos pas ? Quelle est cette déplaisante galéjade ? Alvina où es-tu ?
Il avait traversé tant de mers, essuyé force tempêtes, affronté de denses brouillards, pas une seule fois, il ne s'était égaré.
Il devait l'admettre.
Il s'était perdu au creux de l'épaisse brume, errant des heures.

Tombée subitement, elle les enveloppait d'une bruine froide.

Alvina l'avait quitté. Son amour-propre, son orgueil refusaient la triste vérité. Il l'aimait, elle lui était promise depuis leur enfance. Cela ne pouvait être autrement.

— Nous ferons halte ici pour la nuit. Demain nous nous dirigerons vers le Mont Chérum.

Des murmures s'élevèrent à nouveau de la troupe. La peur des cavaliers se faisait de plus en plus tangible. Firmin aussi la sentait s'imprégner, louvoyant à l'intérieur de ses entrailles, langoureuse et perfide à la fois. Mais il était un soldat, un combattant. Il mit à terre beaucoup d'ennemis, gagna maintes guerres, remporta tellement de victoires. Jamais il n'avait ressenti de doute, jamais il n'avait connu l'angoisse d'une défaite.

— Je te retrouverai Alvina, je l'occirai moi-même ce faux troubadour, ce goupil. Nous nous marierons. Car tel fut le vœu de nos parents.

CHAPITRE 14 - temps d'avant 1
8ème vision de Luciane

— Mirata, je désespère. Voilà bientôt une heure que nous vagabondons sur ce marché. Certes, il y a de splendides objets, mais aucun, je pense, ne pourra combler Sieur de Valois.

— Oui, je partage votre avis, Mademoiselle. Monsieur Firmin vous a laissé là une occupation bien malaisée.

La jeune fille resserra le châle sur ses épaules. Le vent montait légèrement.

— Il faut nous dépêcher, reprit-elle, le temps tourne, et nous n'avons rien pour nous protéger s'il venait à pleuvoir.

Alvina sautilla. Mirata l'observa interdite, tout comme l'homme adossé au chêne des fées. Le troubadour la regardait depuis un long moment. La gouvernante s'en était aperçue et n'en avait soufflé mot à sa jeune maîtresse. Celle-ci était soucieuse de dénicher ce qui pouvait faire plaisir à son futur beau-père.

— J'ai trouvé Mirata. Regarde cet étal là-bas. Je me souviens que nous nous y étions arrêtées quelquefois, nous avions examiné ces foulards de soie, ce nouveau tissu précieux. Il paraît que ce sont les Orientaux qui ont découvert ce procédé il y a plus de mille ans avant notre année. Les Méridionaux commencent depuis peu à utiliser cette technique. C'est un mélange doux et léger, fluide, presque infroissable. Voilà une idée parfaite ! Qu'en penses-tu Mirata ?

— Allons d'abord examiner ces marchandises, et nous jugerons ensuite.

— Tu as raison.

Elles arrivèrent devant l'étal que tenait un homme au teint buriné.

Il portait la barbe, signe distinctif des Méridionaux.

Alvina prit une écharpe dans ses mains. Elle fut surprise par sa légèreté et son soyeux. Elle caressait la texture délicate, rêveuse.

Le barde, toujours dissimulé derrière l'arbre, souriait.

— Admire Mirata, ce tissu est extraordinaire.

La duègne se hasarda à prendre la soierie entre les mains.

— Effectivement, Mademoiselle, il est agréable au toucher.

Le huron en son for intérieur espérait tenir là deux riches acheteuses.

Il se mit à parler avec force geste.

— Buenejorno mes gentesss señorita.

Il afficha un sourire édenté.

— Trèsss bellissima soie.

Alvina examina les autres modèles. Elle fut surprise de la richesse des motifs, des couleurs.

— Comment sont faites ces peintures ?

— Si señorita, c'est moi qui les peinde, z'ai crée mes couleurs avec ces pigments-là, zont faites avec des fleurs, z'est mon maître qui m'a montré, il peint beaucoup peintures pour la future demeure de la croix. Regardez celui-là, señorita, c'est zustement la future place de la demeure de la croix.

Il déploya une magnifique étole blanche. Un imprimé lumineux dominait l'ensemble.

— Oui, elle est merveilleuse, nous la prenons. Vous créez vous-même ces pigments de couleurs ? hasarda-t-elle.

— Si senorita.

— Sont-ils à vendre ?

— No.

Il fut touché par la mine contrite de la jeune femme.

— Ze peux peut-être vendre à vous, zeulement pas aujourd'hui. Presque plus aucun flacon. Ze dois en fabriquer encore en semaine. Revenez semaine prochaine. Je ferai à vous toutes couleurs.

Elle sourit et lui adressa un remerciement chaleureux.

— Mirata, Sieur de Valois, sera comblé. Lui qui aime peindre, je lui offrirai des pigments pour ses œuvres, des teintes totalement inédites. Je suis certaine qu'il appréciera.

— Mademoiselle a raison. Il en sera très heureux.

Alvina paya le marchand de Bourrette, et mit son bras sous celui de la domestique.

Soudain, elle sentit un regard inquisiteur. Elle obliqua discrètement la tête, et aperçut le ménestrel, qui lui souriait d'un air mutin.

Elle eut un étrange pressentiment.

CHAPITRE 15 : an 2066

Il croisa Jeanne.

— Luciane est-elle arrivée ? demanda-t-il.

— Non, elle ne vient pas cet après-midi.

— Elle ne vient pas ? Cet après-midi ?

— Oui, c'est exactement ce que j'ai dit.

Jeanne était une femme de grande taille, d'une maigreur presque surréaliste. Elle approchait de la soixantaine et affichait souvent une expression rigide et calculatrice dans le regard. Aussi certains employés de l'AGENCE confondaient son statut avec celui de Luciane.

— Elle est retenue chez sa sœur ?

— Sa sœur ?

La secrétaire l'examina.

— Vous allez bien ? s'enquit-elle.

— Oui, oui très bien.

Jeanne voyant la mine défaite du jeune homme en doutait.

— Luciane Grenier n'a pas de sœur.

— Luciane Grenier… Pas de sœur ?

— Vous êtes certain que tout va bien ?

— Oui, oui, très bien !

Jeanne s'inquiéta. Peut-être était-il fiévreux ?

— Luciane Thirier vous voulez dire ?

— Thirier est son nom de naissance, le nom de son père. Mais au décès de sa mère, elle a repris le nom de celle-ci.

— Elle a quelques liens de parenté avec Klara Grenier ?

Jeanne le fixa un long moment.

Il passa la main dans sa chevelure brune, d'un geste mi-nerveux, mi-perplexe.

— Klara Grenier est la mère de Luciane.

Jeffran resta sans voix.

— La mère de Luciane, fit-il quelques secondes plus tard.

— Vous êtes sûr que tout va bien ?

— Oui, oui, très bien !

Il la dévisagea à son tour.

— Vous avez un souci ?

— Non, mais je pense que vous, vous n'êtes pas vraiment dans votre assiette, insista-t-elle.

— Si, si, je vais très bien !

— Plus vous me le répétez, moins je vous crois.

— Désolé, mais je suis surpris. Luciane est dévouée corps et âme au programme, elle ne vient pas cet après-midi, elle me parlait d'une sœur qui la réclamait chaque midi, elle ne m'a jamais informé que Klara Grenier était sa mère… Je ne comprends pas… Je pensais que nous nous faisions confiance.

— Elle a certainement ses raisons, avança prudemment son interlocutrice.

— Jeanne ! Une transmission de Carmen.

La voix synthétique d'Igor, l'ordinateur central du Grand Laboratoire emplit la pièce brusquement.

— Prends-là dans une seconde, mets-la sur son-total !

— Qui est Carmen ? interrogea Jeffran.

Il avait perçu une inquiétude dans le regard de la secrétaire.

— C'est l'ordinateur du domicile de Luciane. Il se passe quelque chose. Carmen n'a jamais transmis seule.

CHAPITRE 16 : an 2066

La voix résonnait. L'image, comme un boomerang, se reflétait sur chaque mur de la demeure, au sein de chaque pièce. Elle en resta interdite.

— Bonjour Luciane !

Tout se mit à tourner autour d'elle et un grand trou noir l'envahit.

Carmen sortit alors l'air oxygéné d'urgence, analysa tous les symptômes vitaux de la jeune femme, vaporisa du carbonate d'ammonium en faible dose, rien n'y fit. La température du corps de Luciane variait bizarrement. Il passait de 36 à 39 °C.

Elle décida d'envoyer une transmission à Jeanne, afin d'obtenir l'accord de contacter le Maître-Soigneur Duracq.

Auparavant, elle prit soin de fermer toutes interactions avec les cubes-livres. Igor était un ordinateur très perspicace, et totalement dévoué à l'AGENCE.

S'il avait flairé l'ouverture d'un cube-livre interdit, Carmen aurait signé là son mandat d'arrêt définitif.

Le Maître-Soigneur Duracq était le médecin le plus réputé de la planète, il avait soulagé au mieux les souffrances de Klara Grenier, et était le soigneur-traitant de la jeune chercheuse depuis son enfance.

Il travaillait intensément pour éradiquer le virus qui se répandait sur toute la population.

L'intonation de Jeanne dévoilait des accords tremblants.

— Que se passe-t-il Carmen ?

— Luciane s'est évanouie. Sa température corporelle varie trop brusquement. J'ai essayé de la ranimer en renouvelant l'air intérieur. Elle respire faiblement. Je voudrais avoir la permission d'appeler Maître Duracq.

— Oui, Carmen fait vite ! acquiesça la secrétaire.

— Je file chez elle, annonça Jeffran. Igor programme l'adresse de son domicile dans l'aéro-car le plus rapide du Grand Labo.

— Bien, il vous attend déjà à l'extérieur.

Alors qu'il empruntait l'ascenseur en verre le conduisant jusqu'à la hauteur de l'aéro-car, il réalisa l'ampleur de son angoisse. Habituellement, ce trajet en ascenseur, lui paraissait rapide, mais en cet instant, il eut l'impression que l'engin se muait volontairement en tortue.

Dans l'aéro-car, Jeffran trouva l'atmosphère oppressante. Il ôta la veste en fibres thermoprotectrices, et la posa négligemment sur le siège à ses côtés. Il regardait défiler le paysage. Luciane ne l'avait jamais invité. Il ignorait où elle vivait. Il fut surpris lorsque les maisons blanches et rouges se profilèrent à l'horizon.

— Ainsi, se dit-il, elle habite dans les contours.

Les contours étaient la zone résidentielle réservée aux scientifiques du premier grade, et aux Élites de la planète qui se comptaient sur les doigts d'une seule main.

Il y avait feu Klara Grenier, le Maître-Soigneur Duracq, le techno-mécanicien Maître Albin, la Maître diplomate Andria et le Maître-Chercheur Bernin.

— Luciane, étant la fille de Klara, c'est donc normal, présuma-t-il, qu'elle vive dans la maison familiale.

L'anxiété tenaillait sa poitrine depuis l'annonce du malaise de la scientifique. Il tenta de l'apaiser, en vain.

Il s'inquiétait, et cette inquiétude le taraudait.

L'aéro-car entama une descente puis s'arrêta.

Une portière coulissa vers le haut, Jeffran sortit du véhicule.

Il admira la bâtisse devant laquelle il se trouvait. La façade recouverte de briques rouges aux innombrables fenêtres à petits carreaux était imposante. Il en avait vu dans les cubes-livres de films anciens, et se souvenait même du style architectural : Géorgien.

La Grande Guerre des anciens n'avait pas tout détruit du passé. Il s'avança sous la marquise, face à lui se dessinait une lourde porte d'un bois sculpté d'étranges motifs, et chercha ce qui pouvait faire office de sonnette.

Une voix s'éleva soudainement. Le jeune homme sursauta.

— Entre Jeffran. Je suis Carmen, l'ordinateur conseil, garde du corps, surveillant et aide précieuse de Luciane.

— Bonjour, à peine modeste et pleine d'humour. Tu as falsifié tes logiciels ? railla-t-il.

— Non, répliqua Carmen.

Jeffran était presque certain d'avoir perçu comme un sourire dans la réponse numérique.

— Comment sais-tu qui je suis ?

— Voyons, Igor m'a prévenu, et je t'ai scanné. Chaque personne travaillant à l'Agence est répertoriée. Igor m'informe que tu as oublié ta veste dans l'aéro-car. Jeanne la récupérera.

— Bien. Où est Luciane ?

— Elle reprend conscience. Le soigneur Maître Duracq est auprès d'elle.

— Que s'est-il passé ?

— Je ne sais pas, répondit l'ordinateur. Elle est rentrée plus tôt que d'ordinaire, elle n'était ni malade, ni fatiguée. Toutefois, j'ai analysé une activité cérébrale très importante. Mais au vu de la mission qui lui incombe, je ne m'en suis pas inquiétée.

— Elle est rentrée. Puis ? Ensuite qu'a-t-elle fait ?

— Je lui ai préparé un bain. À propos, je viens de te faire couler un café. Va à la cuisine. Je t'indiquerai le chemin vers chaque pièce de la maison. Tu suivras les flèches lumineuses qui apparaîtront au sol.

— Je voudrais me rendre auprès d'elle.

— Le café te fera patienter. Maître Duracq me préviendra dès que tu pourras aller la voir.

— Il y a une foule de choses que je ne comprends pas, soupira Jeffran, en passant une main dans ses cheveux. Luciane allait très bien ce matin, poursuivit-il comme à lui-même. Elle est solide nerveusement, mais peut-être que la pression au Labo ne l'atteint plus qu'elle ne voudrait se l'avouer. Pourtant, Carmen, j'ai l'intuition que tu me caches quelque chose.

L'ordinateur resta muet quelques secondes.

— Aurais-tu un côté parano qui n'aurait pas été détecté lors de tes tests d'aptitudes ?

— OK ! Je suis patient. J'espère que Luciane sera plus loquace et enfin sincère.

— hum hum…

— Tu as toussé ? Carmen, un ordinateur ne tousse pas. Parfois les humains oui, pour diverses raisons ; médicales, de gêne, pour annoncer leur présence ou encore pour dissimuler un mensonge. Je ne pense pas qu'un ordinateur même atteint d'un virus puisse attraper un rhume…

Une musique emplit la cuisine. Jeffran s'assit sur une chaise en rotin, et avala une gorgée de café.

— C'est une chipie, pensa-t-il. Cet ordinateur est une vraie chipie.

Le jeune homme entra dans la chambre de Luciane. Celle-ci était allongée dans un grand lit recouvert de draps bleu cérulé.

— Bonjour Jeffran ! Je suis Maître Duracq.

— Bonjour Maître Duracq ! Comment va-t-elle ?

Il serra la main que l'homme en blouse blanche lui tendait.

Maître Duracq affichait dans les soixante-dix ans. Son visage carré était buriné et ridé. Le front haut et un regard gris acier laissaient deviner une intelligence aiguisée. Il émanait de toute la personnalité du soigneur une indéfectible détermination.

— Mieux, sa température est à nouveau normale, je lui ai administré un sédatif. Elle a besoin de repos. Je la consigne au lit, durant deux jours. L'accès au Grand Labo lui sera interdit durant ce temps. J'ai déjà donné les instructions à Igor. Elle devra prendre ces comprimés toutes les quatre heures.

Jeffran le regarda intrigué

— Qu'est-ce que c'est ?

— Des sédatifs légers. Cela lui permettra de dormir

régulièrement deux heures d'affilée. Ah oui, j'oubliais Jeffran, vos dossiers et votre ordinateur vous seront amenés.

— Pardon ?

— Oui, je veux que vous restiez près d'elle ces deux prochains jours. Carmen a déjà passé commande des provisions dont vous auriez besoin. Je reviendrai demain matin.

— Mais je…

— Ne vous inquiétez pas pour votre présence au Labo. Vous savez Jeffran, nul autre que vous ne peut remplir la tâche qui vous incombe.

Maître Duracq posa la main sur l'épaule du jeune homme tout en lui adressant un sourire sibyllin.

— À demain, gardez un œil sur Luciane. Nous avons tous besoin d'elle.

La porte se referma derrière le Maître-Soigneur.

Jeffran s'approcha de la jeune femme endormie. Il s'assit près du lit et lui prit la main.

CHAPITRE 17 - temps d'avant 1
9ème *vision de Luciane*

Firmin attendait dans le corridor du château.
Il admirait les couleurs d'automne dont la nature s'était parée.
Alvina s'avançait vers lui. Vêtue d'une robe passe-velours, rehaussée d'une étole en laine de la même couleur, elle semblait pensive et inquiète. Le jeune officier ne perçut au premier abord que l'élégance de sa fiancée.

— Je suis navrée, commença-t-elle, en appuyant un baiser sur la joue de jeune homme. Je suis en retard, je vous prie de bien vouloir m'en excuser. Mirata est souffrante, et je m'inquiète pour elle. Ce sont encore ses pauvres articulations. Notre promenade quotidienne en sera écourtée, je le crains. Le médecin est auprès d'elle. Je lui ai demandé de me fournir personnellement la liste des plantes nécessaires. Elles pourront servir à fabriquer divers onguents.
— Ne vous souciez point de notre promenade. Rejoignez Mirata. Nous nous verrons au dîner ce soir.

Il embrassa la jeune fille comme à l'accoutumée sur le front.
Alvina regretta le manque de spontanéité chez Firmin.

— Voici la liste, Mademoiselle, fit le médecin alors qu'elle entrait dans la chambre de sa dame de compagnie. Vous trouverez certainement toutes ces plantes au marché cet après-midi.

La jouvencelle regarda la feuille de parchemin noircie d'une écriture anguleuse. Elle tenta de déchiffrer quelques-uns des noms de plantes sans succès.

— N'ayez crainte, l'herboriste saura la lire, la rassura-t-il voyant la mine déconfite de la jeune femme. Je reviendrai ce soir pour la préparation des pommades. Au revoir Mademoiselle.

— Merci, dit-elle, en s'asseyant sur un vieux fauteuil couleur fauve délavée.

CHAPITRE 18 : an 2066

Luciane s'éveilla. Elle fut surprise de trouver son collaborateur près d'elle.

— Que fais-tu là ? Que s'est-il passé ?

— Tu es consignée deux jours chez toi. Tu as fait un malaise et nous avons tous été inquiets. Maître Duracq exige le repos forcé, et ma présence à tes côtés, sourit-il.

— Je meurs de faim, répondit la jeune fille. Je ne suis pas d'accord avec le Maître-Soigneur, demain je retourne au Labo.

— Je crains que cela soit impossible.

Luciane se releva promptement. Elle portait une nuisette d'un fin tissu blanc. Les voilages de la haute fenêtre laissaient passer la lumière du jour qui déclinait. Cette lumière filtrée accentuait la transparence du vêtement.

— Et peux-tu me dire pourquoi ?

Elle releva ses cheveux blond miel pour les attacher. Jeffran se sentit troublé.

— Tu ne pourras pas avoir accès au Labo. Igor te la refusera. Ce sont les ordres du Maître-Soigneur.

— Tu te rends compte ? grogna-t-elle excédée. Nous allons perdre deux jours !

— Hum hum…

La voix numérique se fit entendre.

— Elle est enrhumée Carmen ?

La chercheuse le regarda hébétée.

— Comment ?

— Oui comment s'est-elle enrhumée ? Comment un ordinateur peut s'enrhumer ?

— Je crois que le sédatif que m'a donné Maître Duracq est trop fort. Franchement Jeffran, je ne comprends rien à ce que tu dis. Je suis certaine que tu me fais marcher. Carmen ne peut pas attraper de virus de toute façon. Et pourquoi veux-tu qu'elle soit enrhumée ?

— Je ne sais pas, elle tousse souvent depuis une heure.

Luciane passa un peignoir et quitta la chambre.

— Je vais manger, ensuite nous parlerons de tout cela, mon ventre est aussi vide que mon esprit.

— Oui, je pense que tu me dois aussi quelques explications, ma chère collègue.

— Jeffran a raison, commenta Carmen. Pendant deux jours, tu ne peux pas te rendre au Labo. Les consignes sont le repos. Jeffran pourra travailler sur ses dossiers durant ton sommeil. Mais pas toi. Le Maître-Soigneur préfère que tu te reposes. Tu pourras ainsi reprendre ton poste au mieux de ta forme. Tu ne peux pas accumuler fatigue et stress, et te retrouver un beau jour, beaucoup plus longtemps absente.

— Mais je vais bien Carmen, tu le sais.

— Oui, mais je te suggère de mettre à profit ce temps comme tu le désirais.

Le jeune homme souleva un sourcil inquisiteur.

— Comme tu le désirais ?

— Non, enfin oui. Mangeons, nous verrons bien après.

CHAPITRE 19 - temps d'avant 1
10ème vision de Luciane

— Vous ne devriez pas aller au marché sans escorte, Mademoiselle Alvina.

— Ne t'inquiète pas Mirata, repose-toi. Je ne crains rien, le charton de Monsieur Firmin m'y déposera.

La jeune fille déambulait pour la première fois seule au milieu des étals. Elle y croisa plusieurs dames et seigneurs. Chaque rencontre était identique.

— Bonjour Mademoiselle Alvina. Comment vous portez-vous ? Et Sieur de Valois ? Faites-lui part de notre présence pour la fête donnée en son honneur. Mais vous êtes seule ? Et votre dame de compagnie ?

— Bonjour Madame la Comtesse, je suis au mieux de ma forme, j'espère que vous-même vous vous portez bien. Je vous remercie de bien vouloir nous faire l'honneur de votre présence, je ne manquerai pas d'en faire part à Sieur de Valois, il en sera ravi. Oui je suis seule, Mirata est souffrante.

— Oh, vous m'en voyez sincèrement désolée. Rapportez-lui nos plus prompts vœux de rétablissement. C'est une femme tellement dévouée.

— Je vous remercie, bien à vous, nous nous reverrons chez sieur de Valois.

Alvina se dirigea vers l'étal de l'apothicaire. Elle lui tendit le parchemin confié par le médecin.
L'homme entre deux âges le consulta attentivement, puis s'activa.

Elle l'examina pensive. Il avait une chevelure hirsute d'un blond fade, une barbe épaisse, un visage marqué par de très légères rides, des yeux presque noirs. Ses mains charnues s'empressaient de prendre une poignée d'herbes ici et là, de peser, et de les emballer soigneusement dans différentes petites bourses de cuir. Une légère brise se souleva. Le parfum des plantes et des épices vint chatouiller ses narines.
Elle remercia l'herboriste chaleureusement.

L'esprit plus serein, elle espérait tenir là le remède aux maux de Mirata.
— Bon à présent, se dit-elle, allons récupérer ces pigments.

Elle déambulait entre les étals, admirant les nouvelles créations des artisans.
La température était douce en cette saison, le soleil brillait et dans l'air les arômes se mêlaient. Les cires, les herbes, la poussière du sol, les animaux de basses-cours dans leurs cages, les copeaux de bois, le parfum des fruits et des légumes, l'hypocras. Alvina s'arrêta un court instant pour se délecter de toutes ces senteurs, et ferma les yeux.

Quand elle les rouvrit, elle vit l'homme adossé au chêne des fées. Il lui souriait. Il n'y était pas deux secondes auparavant, elle en était persuadée.
Elle avança alors prestement vers l'éventaire du Méridional. Celui-ci la reconnut aussitôt et lui adressa son large sourire édenté.
— Buenejorno mas gentesss señorita.
— Bonjour, vous vous souvenez de moi ? Avez-vous reçu ces pigments magnifiques ?

— Si senorita. Ze faiss vouss faire voir. R'gardezz z'en ai eu une bonne douzaine. Ne zont-ils pas mazifiquesss senorita ?

Alvina s'efforçait de comprendre le phrasé du marchand.

Elle sentit une présence.

Elle se tourna et son regard rencontra un ciel azur.

— Ma pauvre Alvina, pensa-t-elle, ton imagination te fait défaut. L'azur est au-dessus de ta tête.

— Mañolo, la damoiselle ne comprend rien.

La voix de stentor du troubadour la fit tressaillir.

Elle lui jeta un regard sévère.

— Messire, je vous prie de ne point vous mêler d'affaire ne vous concernant en rien. Je vous remercie de votre sollicitude, mais je me débrouille très bien toute seule.

— Comme il vous plaira, répondit le troubadour. Cependant, permettez-moi de vous proposer mon aide. Laissez-moi porter ces quelques emplettes.

— Merci, messire mais je viens de vous dire que je sais très bien me débrouiller seule. Êtes-vous sourd ?

— Que nenni, Mademoiselle je suis troubadour, et mon oreille tout comme ma voix sont les atouts qui me permettent de gagner mon pain.

Il lui prit la main et y déposa un léger baiser.

Alvina en fut déconcertée.

— Mes hommages Mademoiselle, je ne vous importune plus.

Il fit mine de partir, un sourire malicieux au bord des lèvres.

— Attendez ! lui cria-t-elle.

Elle déposa dans la main tendue de Mañolo quelques pièces d'or, prit sa commande vivement, et fit quelques pas en direction du troubadour. Il s'était retourné et affichait toujours cet air espiègle.

— Je viens d'avoir une idée. Votre profession est troubadour ?

— Oui Mademoiselle Alvina.

Elle sursauta.

— Comment connaissez-vous mon prénom ?

— Vous êtes la plus belle fille du pays, tout le monde ici vous connaît. Votre gentillesse est notoire tout autant que votre beauté.

Il la regardait dans les yeux, sans ciller, sans pudeur.

Pourquoi l'impression étrange qu'il détenait des secrets sur son avenir, s'insinuait-elle au plus profond de son âme ?

Pourquoi sentait-elle que l'instant était à l'image d'un confluent ?

— Quelle est cette idée qui me donne la chance de vous aborder encore un peu ?

— Sieur de Valois, que vous connaissez certainement de renom, prépare une fête pour son prochain anniversaire. Je crois qu'une distraction musicale lui plairait. Voudriez-vous avoir l'obligeance de nous conter quelques-unes de vos chansons en son honneur ?

— Cela serait un grand honneur, Mademoiselle, et qui de plus me permettra de vous revoir en cette circonstance.

Elle feignit de ne pas prêter attention à cette dernière remarque.

— Bien dit-elle, la voix tremblante, je vous ferai quérir pour votre répétition, et nous nous mettrons au point pour l'heure de votre prestation. Au revoir Messire.

— Erwin, appelez-moi Erwin, Mademoiselle Alvina. Je vous remercie pour cette offre. Permettez-moi de vous souhaiter une bonne fin de journée et que notre mère nature vous garde.

CHAPITRE 20 : an 2066

Jeffran avalait la dernière bouchée d'un hamburger. Il regarda la jeune femme à la dérobée.

— Je viens d'obtenir le compte-rendu d'analyses de Maître Duracq, annonça la voix de Carmen. Tout va bien, Luciane, pas de trace d'AVC, et aucune carence.

Le jeune homme poussa un soupir de soulagement.

— Bon, ben vous voyez ! Je vais parfaitement bien, je peux reprendre mon travail dès demain.

— Non, le Maître-Soigneur tient à ce que tu respectes ton traitement.

Luciane leva les yeux au ciel.

— Tu as une maison magnifique, hasarda le jeune homme.

— Merci, répondit-elle dans un sourire.

— Elle a une âme. Ce n'est pas comme nos yourtes de l'Autre Côté.

L'Autre Côté était la région de la planète où toutes les villes avaient été détruites pendant la Grande Guerre des anciens. Située à l'Ouest, c'était une zone partagée entre d'immenses déserts, de verdoyantes forêts, de vastes prairies, aux côtes bordées d'un océan sauvage et hostile.

Des tempêtes, tornades et raz-de-marée y sévissaient régulièrement. Toutefois, il y restait encore quelques habitants, nostalgiques de la grandeur passée de cet état révolu.

La splendeur des paysages compensait l'absence de modernité.

Tous les anciens bâtiments, toutes les anciennes demeures n'étaient plus que ruines.

Les rares familles vivaient dans des yourtes au confort rudimentaire.

Ils conservaient le contact avec la nature, et de cette façon veillaient à ce que plus jamais aucune construction moderne ne vienne détruire ce lien.

Jeffran avait grandi là-bas. Ses parents s'y trouvaient toujours. La nostalgie de ces grands espaces, de l'horizon qui ne finit pas, l'envahissait parfois.

Il avait quitté sa terre natale, il y avait plus de dix années, afin de poursuivre des études d'ingénieur en cosmologie à l'université de l'AGENCE.

Sélectionné parmi les meilleurs, durant toute une année, il passa de nombreux tests.

Les excellents résultats obtenus lui valurent le titre de troisième chercheur.

Et l'AGENCE l'envoya alors travailler auprès de Luciane.

Leur mission était d'une importance capitale. Ils tenaient le destin de la planète au travers des colonnes de chiffres, de paramètres divergents. Rien n'était plus capricieux que l'espace.

Mais à ce jour, tous ces calculs restaient vains.

— Tu es pensif, remarqua Luciane.

— Je pensais aux grandes étendues de l'Autre côté, à l'océan en furie, à l'odeur des embruns.

— Tu as le mal du pays ?

— Non, ce n'est pas tout à fait cela. Tu sais les gens de l'autre côté ont développé un intérêt particulier pour sauvegarder l'écologie de ces paysages, j'ai hérité certainement de cette passion, et celle-ci n'est plus simplement liée à une contrée, mais à la planète tout entière. J'espère que nous allons trouver une solution.

— Nous la trouverons, je peux te paraître exagérément optimiste, mais quelque chose me dit que nous la trouverons. Nous passons certainement à côté d'un point essentiel.

Jeffran hocha la tête, peu convaincu.

Carmen intervint

— Luciane, tu dois prendre ton sédatif. Ordre du Maître-Soigneur. Jeffran, je te propose aussi de te reposer. Ta vitalité a baissé de trente pour cent.

— Carmen, s'il te plait, arrête de me décortiquer, s'offusqua-t-il.

— Je ne te décortique pas, je te scanne, tout comme je le fais constamment quand Luciane est ici. Cela est un de mes principaux programmes.

— Luciane, fais quelque chose !

La jeune femme sourit et secoua l'index.

— Non, non, débrouille-toi, je laisse Carmen faire son travail.

Jeffran souffla et haussa les épaules.

— Après tout si cela t'amuse Carmen.

Il accompagna Luciane à la porte de sa chambre et se dirigea vers celle indiquée par les flèches lumineuses au sol.

— Voilà ! C'est ici ta chambre, chuchota Carmen. Repose-toi, et ensuite je te ferai couler un bain.

— Voyez-vous ça un bain ! Tes capteurs ont trouvé mon odeur corporelle désagréable ?

— Jeffran tu es impossible ! J'en suis certaine, tu as falsifié tes tests, répondit l'ordinateur presque narquois.

CHAPITRE 21 - temps d'avant 1
11ᵉᵐᵉ *vision de Luciane*

Alvina était descendue aux cuisines.

Firmin la trouva en train de s'affairer et de bavarder avec les servantes.

Des fumets de ragoûts sortaient des lourds chaudrons, différentes sortes de gibiers étaient dressés et décorés sur des planches de bois.

— Ma chère Alvina, commença-t-il, est-ce bien là votre rôle ?

Elle posa sur son fiancé un regard interrogateur.

— Pourquoi n'allez-vous pas vous apprêter pour la réception de ce soir ?

— Messire, je ne vais point passer toute une après-midi à m'habiller et jouer avec ma coiffe. Je me sens plus utile ici, il y a tant à faire, et je vous avouerai mon tendre fiancé, que je préfère autant chaperonner l'ensemble des préparatifs pour la fête en l'honneur de Sieur votre père.

— Comme il vous plaira, fit-il mi-résigné, mi-excédé.

Il tourna les talons et haussa les épaules.

Elle le rattrapa alors qu'il se tenait dans l'embrasure de la porte.

— Je tenais à vous faire part d'une initiative prise hier. J'espère qu'elle ne vous mécontentera point. J'ai convié un troubadour pour divertir Sieur de Valois.

— Oui, cela peut être une bonne idée, bougonna-t-il.

59

Il se retira d'un pas hâtif.

CHAPITRE 22 : an 2066

Luciane se réveilla en sursaut. Toujours ces images. Survenant comme un rêve éveillé.

Ces visions la rendaient nerveuse, elle ne savait que penser.

Tout était parfaitement clair, elle voyait distinctement les visages, elle ressentait les parfums, elle s'imprégnait de l'atmosphère étrange de cette époque, les personnages lui semblaient si familiers.

— Je deviens folle, se dit-elle, mon cerveau ne fonctionne plus, toutes ces listes chiffrées ont noirci mes neurones. Le Maître-Soigneur a raison, j'ai besoin de repos.

On frappa à la porte.

Jeffran s'avança tenant un plateau avec deux tasses de thé et des biscuits.

Il s'était changé, rasé, et le parfum épicé la troubla.

— Bien reposée ? Tu as de la fièvre ? demanda-t-il. Tu es en nage.

— Non, j'ai simplement fait un très mauvais rêve.

— Il y a plusieurs questions qui me taraudent depuis quelques heures.

— Hum, répondit Luciane, en mâchant un biscuit. Comme ?

— Pourquoi ne m'as-tu pas dévoilé tes liens de parenté avec Klara Grenier ? Pourquoi as-tu inventé cette histoire de sœur ? Pourquoi ai-je l'impression que parfois tu me fuis ou que tu ne me fais pas assez confiance ? Pourquoi es-tu rentrée plutôt aujourd'hui ? Pourquoi as-tu fait ce malaise ?

— Stop, chuchota la jeune femme. Elle prit les deux oreillers et s'en couvrit les oreilles.

Jeffran les retira doucement

— Écoute, reprit-il, je ne vais pas te forcer à me donner des explications, mais si j'avais une once de réponse à une ou deux questions j'en serais très heureux.

— Attends-moi en bas dans le salon. Je t'y rejoins d'ici peu, une douche me fera du bien pour y voir plus clair.

Elle le retrouva dans la grande pièce bercée d'une lumière tamisée aux nuances bleutées. Il feuilletait un vieux magazine de cuisine.

Luciane s'assit près de lui.
Une musique comblait le silence qui s'était installé.
Luciane fut la première à le rompre. Elle s'éclaircit la voix.

— J'ignore par où commencer.

— Le début serait judicieux, plaisanta-t-il.
Elle lui adressa un pauvre sourire.

— Il n'y a pas vraiment de début.

La jeune femme prit une profonde aspiration, ferma les yeux et commença son récit.
Jeffran hochait parfois la tête, essayait de comprendre, mais ne l'interrompit pas.

— Voilà, conclut-elle, maintenant, tu as au moins une réponse à une de tes interrogations. Je sais, cela peut te paraître insensé, mais je t'assure que je te dis la vérité. Il m'arrive souvent en ta présence de recevoir ces visions. Je ne peux pas, et ne veux pas t'éviter, mais je pensais que limiter nos rapports seulement dans l'enceinte du grand Labo pouvait m'aider.

— Mais il n'en est rien, n'est-ce pas ?

— Je crains que non.

— Je suis rentrée pour trouver des réponses. Ce midi dans le jardin des fées, toutes ces questions m'ont envahie. Plus je réfléchissais, moins je comprenais. J'ai demandé à Carmen de m'aider dans différentes recherches au travers de certains cubes-livres. Des cubes-livres interdits. Quand elle a ouvert le premier, j'ai cru entendre une voix familière, j'ai cru voir une silhouette familière, ensuite je ne me souviens plus, je crois que je me suis évanouie à ce moment-là.

— Carmen peut-elle repasser ce cube-livre ?

— Oui, probablement. Et si je m'évanouis à nouveau.

— Je suis à tes côtés, je ne crois pas qu'à nouveau cela te fasse le même effet de surprise.

— Je ne suis pas certaine que cela soit raisonnable, intervint l'ordinateur, même si j'ai pu te le conseiller tantôt.

— Carmen, allume le cube-livre s'il te plaît, ordonna Luciane.

Elle sentit la main de Jeffran glissait dans la sienne.

CHAPITRE 23 - temps d'avant 1
12ème vision de Luciane

La fête battait son plein. Les nombreux convives présents se régalaient des mets, de vin et d'hypocras.

Sieur Gustin de Valois souriait, visiblement heureux de tant d'attention.

Son fils le percevait comme un être charitable et farfelu, aux goûts excentriques, mais il se sentait seul. Depuis le décès de son épouse Milène de Casterre, il tentait de faire bonne figure au quotidien, mais grande au fond de lui était sa tristesse.

Firmin le croyait fort et courageux.

Alvina avait su déceler sa souffrance. Lors de leurs rares entrevues, il pouvait enfin faire revivre sans honte le souvenir de sa femme.

Elle s'approcha du gentilhomme.

— Mon oncle, seriez-vous disposé pour une surprise ?

— Ma chère Alvina, je vous en prie, faites donc, vous m'en voyez empressé comme un enfant, dit-il en lui tapotant le poignet.

— Je vous prierai de bien vouloir excuser mon absence quelques instants, je reviens aussitôt.

La jeune femme se rendit dans le corridor où l'attendait le ménestrel.

Il déposa un baiser sur la main d'Alvina. Elle la retira d'une manière preste tout en rougissant.

Il était vêtu d'un haut-de-chausse gris et d'un bliaud ocre.

Le long de son bras gauche pendait le manche d'une guiterne.

— Venez, bredouilla-t-elle, nous allons écouter avec grand plaisir vos chansons.

Il la suivit et tandis qu'il entrait dans la vaste salle, ses doigts firent retentir quelques notes et il engagea d'une voix haute et chantante :

— Mon chant paraitra insensé ou sot à qui n'a pas le double entendement.

Mirata tressaillit. Soulagée de ses douleurs grâce aux préparations du médecin, elle avait tenu à être présente. Elle examina Alvina à la dérobée, et porta ensuite son intention sur les convives.

Pas un n'avait sourcillé.

La duègne connaissait le sens caché de ces paroles.

Il impliquait comme une demande d'accès à l'amour inconditionnel.

Toute la salle se tut et écouta avec contentement les vers chantés.

La voix était pure et grave, le ton juste, les prunelles rivées sur la jeune femme.

Mais aucun des invités, tous absorbés et imprégnés de la mélodie n'y prêtaient attention.

Alvina ferma les yeux, et se laissa bercer par le timbre suave d'Erwin.

CHAPITRE 24 : an 2066

Luciane se leva et prit place dans le deuxième canapé gris. Penchée en avant, ses mains encadraient son visage.

Jeffran s'approchait d'elle, tout en évitant un contact physique.

— Encore ses visions ? Tu es encore une fois en sueur. Carmen est-ce que Luciane va bien ?

— Cela ne te dérange aucunement que je décortique quelqu'un d'autre ?

Il serra les poings.

— Carmen, c'est lourd à force

— Tu n'as qu'à faire deux voyages.

Des rires enregistrés fusèrent.

— Très drôle, fit-il en desserrant les poings. Sa colère retomba en voyant Luciane ébauchait un sourire.

— Qui l'a programmée ?

— Le Maître Bernin, Klara, puis j'y ai ajouté ma petite touche il y a quelques années.

— Je comprends mieux, elle a donc une parcelle de ta personnalité ? Cela ne te pèse pas qu'elle te scanne constamment ? Est-il possible de la débrancher ?

— Jeffran, si on me débranche, plus aucun élément de la maison ne fonctionne, et de plus comme je suis vitale à la sécurité de Luciane, que je dois rendre des comptes à l'AGENCE, c'est impossible.

— C'est exact, confirma Alvina. Et tu sais j'y suis habituée depuis ma plus tendre enfance.

Le jeune homme sourit en imaginant une petite fille aux cheveux blonds et bouclés courir, sautiller, jouer à la poupée, dans la grande demeure.

— OK ! J'ai réfléchi, déclara-t-il, je ne me souviens plus de tous les personnages de ton récit. Tu n'as fait que relater des actions. Tu ne t'y es pas attardée et pourtant tu me disais qu'ils te paraissaient familiers. J'aurais dû prendre des notes.

— Va dans le bureau Jeffran, tu trouveras toute la narration de Luciane imprimée.

— Carmen, tu peux être aussi précieuse qu'exaspérante.

— Merci répondit la voix synthétique. Luciane va très bien cela dit, je ne décèle rien d'autre que de la lassitude.

Il revint dans le salon en tenant une vingtaine de feuillets. Jeffran lut l'ensemble.

— Donc toutes tes visions sont regroupées là-dessus, fit-il en secouant les pages. Peux-tu me brosser le portrait de chaque personnage ? Et au fur et à mesure de tes rêves, nous les enregistrerons. Nous les analyserons, il y a bien une raison à tout ceci et pour ta santé mentale, on la trouvera.

— Tu es très délicat Jeffran, je te remercie mais ma santé mentale pour le moment se porte bien.

— Mouais pour le moment. Bien continua-t-il, pour commencer tu vas me décrire Alvina, son physique, son caractère, tout quoi.

La jeune chercheuse ferma les yeux. Jeffran remarqua la moue habituelle de sa collègue quand elle réfléchissait.
La voix de Luciane se fit lointaine.

— Alvina n'est pas très grande, elle a une silhouette menue.

Ses cheveux sont longs et d'un blond vénitien, ses yeux sont verts, elle porte souvent une robe de velours dans les tons pourpres. Son visage est angélique.

— Pardon ? Que veux dire angélique ?

— Je ne sais pas, je n'ai jamais entendu ce mot. Je ne sais pas comment il est venu, je ne connais pas ce mot.

— OK ! On verra plus tard. Continue, l'encouragea Jeffran.

— Elle vit au château de son oncle depuis le décès de ses parents survenu une dizaine d'années auparavant. Elle est fiancée à son cousin, Firmin de Valois, elle a pour lui beaucoup d'affection, elle se demande si c'est de l'amour. Elle est troublée par le ménestrel. Elle porte à son cou un petit sac de velours accroché à une petite cordelette. Elle ne l'avait pas au château. Je ne le vois qu'après.

— Qu'est-ce qu'il y a dans le sac de velours ? Peux-tu le voir ? Le toucher ?

— Non. Je ne peux pas le voir, c'est anguleux, comme un diamant. Elle a un drôle de grain de beauté sur le haut de l'omoplate, c'est une forme étrange. Je la sens d'une nature généreuse, mais elle a un caractère très indépendant, presque insoumis qui ne plaît ni à son fiancé ni à sa dame de compagnie. Mirata semble détenir des secrets que je n'entrevois pas encore. Voilà, c'est tout ce que je perçois pour le moment. Je voudrais regarder ce livre-cube. Carmen, est-il prêt ?

— Oui, et le leurre est lancé depuis un bon moment. Je ne voulais pas qu'Igor intercepte ton récit.

Un silence se fit.

— Qu'y a-t-il Carmen ? demanda la jeune femme.

Je dois vous prévenir tous les deux, répondit l'ordinateur. Je l'ai visualisé pendant le récit de Luciane. Le cube-livre est très long, je vais scinder sa projection en phase d'une heure. Son contenu va certainement vous bouleverser. Vous aurez besoin d'un débriefing après chaque passage. De repos aussi, et toi n'oublies pas Jeffran, tu es censé travailler au programme. Ton ordinateur doit porter la trace récente de nouveaux calculs.

— Oui, oui, je le sais bien grommela Jeffran.

    — Et il faut que je t'avertisse aussi Luciane, déclara Carmen, histoire que tu ne t'évanouisses plus, le cube-livre a été composé par Klara Grenier ainsi que par ta grand-mère Jellane Grenier. La voix que tu as entendue avant ton malaise était celle de Jellane.

    Luciane resta abasourdie.

    — Qu'est-ce qu'il y a dans ce cube-livre ?

    — Des révélations.

    La lumière de la pièce diminua et la voix à nouveau s'éleva.

    — Bonjour Luciane.

    Jeffran regarda la jeune chercheuse avec une anxiété non dissimulée.

Elle n'avait pas cillé, et s'enveloppa dans un plaid usé aux tons pastel.

    Une femme d'une quarantaine d'années, à l'allure dynamique, se tenait assise derrière un bureau en bois massif. Jeffran reconnut le meuble entrevu lorsqu'il avait récupéré les feuillets imprimés.

Elle était vêtue d'un pull beige, ses cheveux coupés court étaient parsemés ici et là de quelques fils argentés. Son teint était pâle, les traits de son visage laissaient deviner une grande fatigue.

    — Je suis Jellane Grenier, la dixième. Je suis ta grand-mère, Luciane, hélas, tu étais trop petite, et je crains que tu ne te souviennes de moi. Peut-être sur une photo dans un cube-livre de famille. Si tu visionnes celui-ci, en ce moment, c'est que Carmen l'a enfin trouvé, et que la date programmée est arrivée. De plus, tu ne dois pas être seule à cet instant. Cela concerne aussi le jeune homme à tes côtés.

    Jeffran et Luciane échangèrent un regard intrigué.

    — Je vais vous révéler beaucoup de choses que vous ignorez du passé. J'espère que cela vous sera utile pour vos recherches. Oui, nous sommes conscients de ce futur danger depuis bien longtemps. Nous avons commencé des travaux, mais d'autres difficultés nous assaillent. Sachez qu'une majeure partie de la destinée était écrite, et que vous en êtes la finalité.

LA NUIT DES FEES

L'histoire de Jellane

Vous raconter des millénaires de l'histoire de l'humanité serait bien trop long.
Je vous dévoilerai tout un pan historique que vous ignorez.
Le côté sombre de la race humaine.
Parfois, j'emploierai un terme qui vous sera totalement inconnu, je vous en apporterai la définition et ses origines.
Vous visionnerez des scènes, des images des temps d'avant. La plupart vous choqueront.
Mais, tout ce qui vous sera montré ne devra jamais être divulgué.

Je m'appelle Jellane Grenier. Je suis née en 1985.
Le monde était différent. La planète comptait cinq continents, chacun étant divisé en état ou pays, gouvernés par des chefs aux convictions politiques et religieuses variées, voire souvent opposées.
Le concept des religions est banni, car il fut à l'origine de bien des maux.

Au fur et à mesure de l'exposé, des images étaient projetées.

Voici donc une carte mondiale de 1985. Il y avait deux cent quarante-trois pays, cinq grandes croyances religieuses et il y avait près de cinq milliards d'individus.

Aujourd'hui nous sommes trois cents millions d'êtres humains, comme ce fut le cas entre l'an 400 et l'an 1 000.

Les pupilles des deux chercheurs s'écarquillèrent. Plus de quatre milliards d'individus avaient succombé durant la Grande Guerre ou au virus. C'était un chiffre vertigineux.

Les phases d'évolution techniques furent très lentes à se développer.
On vous a enseigné quelques notions de la préhistoire.
Les hommes de cette époque vivaient en groupes nomades. Ils se nourrissaient de cueillette, de chasse et de pêche.
Puis dans certaines régions du globe, des peuples se mirent à cultiver la terre, ce fut le début de la sédentarisation. Des villages virent le jour, puis des villes.
Ce fut aussi le début des états.
À ce moment-là, le destin de l'humanité se scellait. Les idées et la culture prenaient une place de plus en plus prépondérante.
Et ses effets sur la planète devenaient irréversibles. Des paysans utilisèrent des méthodes agricoles qui transformèrent de fertiles et verdoyantes vallées en un désert.
Chaque civilisation apportait au fil des siècles son lot de nouvelles techniques que ce fut en architecture, en astronomie, en médecine, mais chaque civilisation apportait aussi son lot de croyances.
Les hommes se sont toujours posé des questions : quel était le commencement du monde, pourquoi la vie, pourquoi la mort. Les mystères étaient insondables et devenaient par leurs émotions et leurs actes quotidiens prétextes à une foule d'interrogations. Le bien le mal, la beauté, la laideur, la gentillesse, les crimes, le jour, la nuit, le soleil, la lune, la pluie, la terre fertile, tout devenait mystique.
Ils tentèrent d'y répondre en créant des êtres imaginaires. La mythologie naissait.
Chaque tribu, chaque peuplade développèrent ses propres croyances, ses propres divinités.
L'émergence de l'agriculture et des cités suscita le déclenchement des premières guerres.
Ces dernières commencèrent alors à se militariser afin de se défendre et défendre les terres cultivées.

Puis vinrent les échanges commerciaux et la monnaie. Grâce à ces commerces, des empires naquirent.

Les richesses de certaines populations étaient convoitées, des philosophies et religions apparaissaient encore.

Des familles se disant royales commandaient les peuples, et forgeaient pour certaines d'entre elles le destin de nombreux pays.

Des civilisations entières furent détruites par des invasions meurtrières et des peuples entiers réduits à l'esclavage.

Certaines religions monothéistes se proclamaient comme unique et véritable religion.

Un seul Dieu, le seul qui avait pu créer l'univers et toute chose vivante.

Les autres courants religieux ne pouvaient qu'être que tromperie, supercherie, et allégation mensongère.

Des hommes prirent alors les armes pour distribuer cette idéologie. Là encore au nom de cette cause des peuples entiers considérés comme non croyants ou païens étaient anéantis. Des milliers d'êtres humains furent torturés, considérés comme suppôt du mal. De nombreux savants, physiciens, mathématiciens, astrologues, médecins furent tués.

Le film suivant vous permettra de mieux saisir tout cela…

Les images défilèrent. D'abord des scènes où des agriculteurs cultivaient la terre au fil des siècles, les impacts écologiques de la construction des cités, des scènes de combats entre chevaliers, des scènes de pillages où des villages entiers étaient détruits par le feu, des scènes de divers rites religieux, des images de symboles spirituels.

Le cube-livre s'arrêta.

— Vous devez vous reposer, déclara Carmen. Jellane avait jugé qu'une pause à ce moment du cube-livre était nécessaire.

Jeffran et Luciane restèrent longtemps sans parler, immobiles. Ils prenaient connaissance d'une violence dont jamais ils n'auraient imaginé l'ampleur et l'existence.

La jeune femme fut la première à se lever.

— Je vais m'étendre, je prends le sédatif. Je… Je ne peux pas en discuter pour le moment. C'est trop horrible.

Jeffran hocha la tête en signe d'assentiment.

LA NUIT DES FEES

CHAPITRE 25 - temps d'avant 1
13ème vision de Luciane

Sieur de Valois se tenait sur un palefroi à la robe blanche.
Il était entouré d'une demi-douzaine de soldats.
Alvina le regarda inquiète.

— Comment vous sentez-vous, mon cher oncle ? Cette promenade jusque chez Monsieur le Comte, ne va-t-elle point vous fatiguer ?

— Que Nenni, ma chère enfant, cela me revigore.

Ils étaient invités au banquet offert en l'honneur des fiançailles de la jeune comtesse. Ils profitèrent de ce trajet pour bavarder.

— Vous pensez à Firmin, reprit le vieil homme. Vous me semblez bien songeuse soudain.

— Oui, je lui souhaitais de réussir son projet. Voilà déjà une semaine qu'il s'en est allé. Je lui souhaite aussi de ne point recevoir d'écueil pour la construction de ce nouveau port.

— Ne vous faites point de bile, Firmin saura certainement convaincre le précepteur de cette contrée. Un port de commerce et de défense militaire voila une merveilleuse idée. Je suis persuadé que les avantages seront bénéfiques pour notre pays.

— Je le pense aussi mon oncle.

Ils traversèrent la place du village. Tout était calme. Alvina jeta un œil en direction du chêne des fées.

Elle espérait entrevoir une silhouette familière. Elle ressentit une légère déception. Aucune présence dans les alentours. Toute cette tranquillité lui apparaissait irréelle. Elle ne connaissait ce lieu que les jours de marché.

Les couleurs, le bavardage des badauds, les cris des marchands, les odeurs. Tout cela ne semblait que réminiscence illusoire.

En traversant les ruelles ils rencontrèrent des femmes aux pas pressés se dirigeaient vers le lavoir, des hommes d'un âge avancé assis devant leur chaumière tressaient de l'osier. Des mandes, des corbillons, des cages étaient ainsi fabriqués avant d'être vendus les jours de foire.

— Mirata ne vous accompagne point ?

— Non Messire, j'ai mandé à Noria, notre jeune servante de me chaperonner. Je me soucie des douleurs de ma pauvre Mirata. Une promenade à cheval pourrait lui coûter quelques jours à nouveau alitée.

— Vous êtes d'une bonté exceptionnelle, ma chère Alvina. Mirata vous est très chère n'est-il point ?

— Oh oui, mon oncle ! Mirata m'a confortée après le décès de mes parents. Paix à leur âme. Elle a pris soin de cette petite fille élégiaque que j'étais à l'époque. Puis à mon arrivée en votre demeure, Dame Milène m'a redonné goût aux jeux de mon âge.

— Oui, je me souviens, répondit d'un ton nostalgique Sieur de Valois. Vous passiez des matinées entières dans les cuisines.

— Et nous vous apportions de très bonnes tartes dont vous vous régaliez, continua Alvina en riant. Mais je vous l'accorde Mirata m'est précieuse. Elle ne sera jamais une enfant de la Croix, car ses croyances sont différentes. Elle m'a conté nombre de légendes de fées, de démons. Je la soupçonne de croire aux anciens dieux, à la magie.

— Nous sommes dans une ère qui évolue, Alvina, comme à la croisée des chemins. Le monde choisira sa propre destinée. Laissons encore les anciens dieux et mère nature guider nos cœurs.

Il viendra un temps où les adeptes de la croix seront notre perte.

La jeune fille le regarda ébaubie.

— Vous tenez là des propos comparables à ceux de ma tendre duègne.

Gustin de Valois fixa son regard sur l'horizon, un sourire mystérieux sur les lèvres.

CHAPITRE 26 : an 2066

Jeffran resta un long moment sur le canapé, perdu dans ses pensées.

Il remonta le vieux plaid le long de ses jambes.

La couverture était encore imprégnée du parfum de Luciane.

Il releva à peine cette information olfactive, tant son esprit était embrouillé.

Des images effrayantes dansaient encore devant ses yeux. Des questions émergeaient. Comment Jellane avait-elle pu prévoir sa présence auprès de Luciane ? Que voulait-elle dire par « vous en êtes la finalité » ? Pourquoi cette femme qui avait aboli toute croyance parlait-elle de destinée ?

Il sortit de sa léthargie.

— Carmen, peux-tu me préparer un café s'il te plaît ? Et dis-moi où se trouve mon ordinateur.

— Il est dans le bureau.

Il commençait à se repérer dans la maison. Il se dirigea vers l'immense pièce et y pénétra. Il tira les lourdes tentures de velours prune des fenêtres. La clarté envahit chaque recoin. Les imposants meubles de bois cirés semblaient être les seuls maîtres des lieux. Il fixa l'écrasant pupitre.

Il eut l'impression d'y distinguer l'aïeule de sa collègue.
Il imaginait cette femme énergique donnant ses directives, il l'imaginait dans son combat pour un monde meilleur, il l'imaginait alors qu'elle concevait le cube-livre de ses mémoires.

Jeffran vit l'ordinateur sur le bureau. Il en fit lentement le tour, d'un pas feutré. Il caressa du bout des doigts l'ébène.

CHAPITRE 27 - temps d'avant 1
1ère vision de Jeffran

Erwin, installé sous le patio, s'efforçait de composer quelques chansons en l'honneur des futurs fiancés. Plus tôt dans la journée, il était venu quérir auprès des convives déjà présents, des domestiques et de leurs proches familles, des anecdotes et les goûts des jouvenceaux. Il était réputé comme ménestrel bien au-delà de la région, car il se faisait fort de personnifier chaque vers chanté. Les mots et leurs mélodies qu'il transcrivait sur un vieux parchemin s'obstinaient à lui offrir le souvenir de la jeune damoiselle de Valois.

Alvina et son oncle mirent pied à terre.

Elle ressentit la présence du ménestrel, sans même l'avoir vu. Elle tressaillit.

Le comte vint à leur rencontre. Il serra dans ses bras Sieur Gustin de Valois.

— Ah, mon cher ami, enfin vous voilà ! Quelle joie de vous revoir ! Comment vous portez-vous après cette longue chevauchée ? Mes hommages Mademoiselle Alvina. Le chemin a-t-il été sans heurt ? Voilà mon palefrenier, il guidera vos soldats et les chevaux aux écuries. Quant à moi, je vous mène dans vos appartements, vous ressentez certainement l'envie de vous rafraîchir et de revêtir d'autres vêtements plus seyants, dit-il en regardant avec astuce

Alvina.

— Nous vous remercions de cette délicate attention, Monsieur le Comte, répondit la jeune fille.

— Mais n'est-ce pas là-bas le jeune troubadour qui par sa voix et ses chansons a diverti mes convives le jour de mon anniversaire ? s'enquit Sieur Gustin de Valois.

— Tout à fait mon cher ami, si bien que je l'ai employé pour chanter en l'honneur des fiançailles de ma fille Bérénice.

Alvina regarda dans la direction du ménestrel. Il paraissait accaparé par ses réflexions. Il ne l'avait pas encore remarqué, elle en fut soulagée.

— Il est érudit, constata son oncle. Peu de troubadours connaissent l'art d'écrire.

Erwin leva les yeux de son parchemin. Il avait entendu des rires et son corps vibrait étrangement.

Il aperçut la frêle silhouette, devina son regard qu'elle détourna rapidement.

Il sourit. Ainsi, Rostiline ne s'était pas trompée.

LA NUIT DES FEES

CHAPITRE 28 : an 2066

Carmen appela immédiatement le Maître-Soigneur Duracq. Elle avait été programmée pour analyser différentes données, déduire et agir en conséquence. Le soigneur avait été ferme : Que cela concerne Luciane ou Jeffran, préviens-moi de suite Carmen, si le moindre incident survient.

Et en cet instant, le jeune homme était tombé, inconscient. Carmen prit un plaisir cocasse à scanner le jeune chercheur à son insu. Les données vitales étaient satisfaisantes.

Luciane dormait encore. Elle ne la réveilla pas.

Alors que le Maître-Soigneur se penchait pour l'ausculter, Jeffran reprit conscience.

— Que s'est-il passé ? bafouilla-t-il en passant une main dans ses cheveux.

— Vous vous êtes évanoui, je ne sais pour quelle raison. Carmen m'a aussitôt prévenu. Faut-il que je prescrive à vous aussi du repos ?

— Non, cela va aller mieux.

Jeffran se leva, et le soigneur le rattrapa de justesse.

— Bien sûr, cela ira mieux. Mais pas dans l'immédiat.

— Mes jambes tremblent encore un peu, mais d'ici quelques minutes je serai de nouveau au mieux de ma forme.

— Je n'en doute pas. Il est cependant nécessaire que je comprenne la cause de cet évanouissement. Vous vous êtes nourri correctement ces dernières heures, suffisamment hydraté ?

— Bien entendu. Je connais les consignes de l'Agence.

— Racontez-moi ce que vous avez fait ces deux dernières heures.

— Nous avons visionné un cube-livre pour nos recherches, puis Luciane est allée se reposer. Je suis resté sur le canapé pour réfléchir, puis je me suis dirigé ici afin de récupérer mon ordinateur et effectuer quelques calculs.

— C'est tout ?

Le vieil homme promena son regard autour de lui. Il aperçut les tentures ouvertes.

Il fronça les sourcils.

— Vous avez touché à différentes choses ici ?

— Oui, j'ai ouvert les rideaux, la pièce me paraissait trop lugubre, j'ai fait le tour du bureau, et j'en ai effleuré du bout des doigts le bois. C'est tout. Rien qui ne puisse justifier ce malaise.

— Effectivement.

Luciane entra dans le bureau.

— Maître Duracq ? Que faites-vous ici ?

Elle vit le teint blafard de son collègue.

— Jeffran tu es blanc comme neige, quelque chose ne va pas ?

Les deux hommes échangèrent un sourire.

Carmen intervint.

— Jeffran s'est évanoui, j'ai appelé…

— Quoi ! s'exclama la jeune femme. Pourquoi ne m'as-tu pas réveillée ?

— J'ai prévenu le Maître-Soigneur. Et tu dormais profondément.

Elle dévisagea avec une inquiétude non dissimulée le jeune homme. Elle s'approcha de lui, attrapa son bras.

— Que s'est-il passé Jeffran ?

CHAPITRE 29 - temps d'avant 1
14ème vision de Luciane

— Mademoiselle Alvina, un coursier m'a fait remettre cette missive à votre intention.

Noria lui tendit le parchemin scellé.

Un pli de Firmin. Elle reconnaissait son écriture fine et penchée.

Elle congédia la jeune servante, afin de lire tranquillement.

« Ma chère promise,
Ces quelques mots vous donneront de mes nouvelles.

Rassurez-vous, ma douce, je me porte à merveille quoique étant comment dirai-je, enivrer de ma mission.

Comment se porte mon cher père ? Le voyage entrepris jusqu'au domaine de Monsieur le Comte ne l'a-t-il point fatigué ? Et vous-même ma tendre Alvina ?

Nul bandit n'est-il point venu noircir votre chevauchée ? Mes soldats vous ont-ils bien veillés ?

Donnez en mon nom, vœux de bonheur et de félicité aux jeunes fiancés. Je regrette de n'être parmi vous en ce jour d'allégresse.

Le précepteur est conquis à l'idée que sa contrée sera la première du pays à posséder un tel port. Nous allons envisager une forteresse afin de défendre si nécessaire cette future ville.

Nous nous sommes rendus auprès du représentant de la Croix.

Vous verriez cela, ma chère fiancée ! Ce chantier est titanesque ! Le palais de la Croix sera un monument splendide.

Son Altesse est absolument à l'unisson avec notre projet. Il m'a fait l'honneur de vous mander si vous étiez consentante afin qu'il bénisse nos enfants.

Oui, ma tendre promise, je souhaite en mon cœur et mon âme, que vous me donniez des enfants après notre mariage.

Les plus grands peintres, les plus célèbres sculpteurs ont été conviés afin d'y créer des œuvres uniques.

Son Altesse est un homme bon, il combat le mal autour de lui, il n'a de cesse de poursuivre le diable et de ce fait à former une armée de nobles croyants pour le chasser de ce bas monde. Bientôt cette armée sera sur nos terres et nous serons débarrassés de ces sorcières qui ne jurent que par les anciens dieux.

Il m'a conté l'histoire de cet homme, fils du Dieu unique, qui vint sur notre planète afin de sauver les hommes. Les miracles accomplis. Le message d'amour qu'il diffusait parmi ses semblables, au péril de sa propre vie.

Je reviens vers vous dans un mois, ma chère Alvina.

Je vous envoie mon amour.

Portez-vous bien.

Votre dévoué Firmin.

Alvina à la lecture de ces mots, ressentit une imperceptible angoisse. Ainsi, Firmin s'était laissé séduire par Son Altesse de la Croix.

Et cette menace. Que signifie-t-elle ? Une armée de la Croix viendra-t-elle réellement sur leurs terres ? Elle jugera qui est suppôt du diable ? Et par quels critères le décidera-t-elle ? Et Mirata qui ne croit pas à la Croix, et son oncle qui partage l'opinion de sa gouvernante ? Qu'adviendra-t-il de leur sort ? Et Erwin ? Pourquoi pensait-elle au troubadour en ces réflexions graves ? Comment son fiancé pouvait-il accepter une telle ingérence ?

L'arrivée de Noria mit fin à sa torture mentale.

— Venez Mademoiselle, votre bain est prêt.

CHAPITRE 30 : an 2066

Les deux jeunes chercheurs étaient attablés sur la terrasse. Dans l'exceptionnelle fraîcheur du soir, les parfums de quelques fleurs flottaient.

Jeffran brisa le silence installé depuis le départ du soigneur.

— Il est remarquable ton jardin. Le Maître-Soigneur a eu une excellente idée.

— Oui, je devrais y penser plus souvent, c'est agréable de prendre un repas sous la pergola, concéda Luciane. Dis-moi, Jeffran, que s'est-il passé ?

— Je ne sais pas

Elle le considéra mi-étonnée, mi-exaspérée.

— Ne me la fait pas. Que s'est-il passé ? répéta-t-elle

Il resta un instant songeur.

— Tu peux me parler d'Erwin ?

— Tu changes de sujet ?

— Pas vraiment. Parles-moi d'Erwin, j'ai besoin de savoir certaines choses.

— Comme tu veux, soupira Luciane.

— Carmen, enregistre notre conversation. À propos, je te remercie de ta sollicitude et de la rapidité dont tu as fait preuve pour prévenir Maître Duracq.

— Je suis flattée Jeffran, tes compliments risquent d'échauffer mes circuits.

— Elle est impossible et précieuse, ricana-t-il.

— Nous sommes à l'ère du cube-livre, et tu utilises encore les impressions papiers ? demanda la jeune femme.

— Si on enregistre tes récits sur un cube-livre, il faudra le faire répertorier par l'AGENCE. Et puis cette vieille méthode a du bon. C'est ainsi que j'apprenais mes cours à l'Université. Cela me permettait d'y annoter des remarques, souligner des points importants. J'analyse mieux de cette façon.

— Et oui Luciane, intervint la voix numérique, Jeffran a encore raison. Si on utilise un cube-livre pour l'enregistrement, l'AGENCE l'interceptera aussitôt.

— C'est vrai, admit Luciane. Dis-moi Carmen, la présence de Jeffran titillerait-elle tes capteurs ?

Un grésillement résonna.

Luciane éclata de rire.

— C'était quoi ça ? demanda son collègue

— Une vibration extra-électrique. Lorsqu'elle est embarrassée, Carmen grésille.

Jeffran passa la main dans sa chevelure.

— Heu, si on revenait à Erwin ?

— D'accord. Dans mes premières visions, ce n'est qu'une silhouette. Il se tient alors contre un chêne, le chêne des fées. Je pense qu'il doit mesurer 1m85, il porte de larges vêtements noirs, mais je le devine assez musclé. Son port est altier, une démarche animale et princière à la fois. Son visage anguleux arbore la plupart du temps un sourire espiègle ou mystérieux. Lorsqu'il regarde Alvina, le bleu de ses yeux se fonce légèrement. Sa chevelure longue et noire me fait penser aux anciens pirates. Dans les visions suivantes, d'autres détails me frappent. Ses mains sont fines, il ne doit pas être fils de paysans, il porte autour du poignet un bracelet en argent avec des motifs, trois points alignés et trois traits noirs partant de ses points comme des rayons. Il est apprécié pour sa voix et ses chants, mais la plupart des gens le craignent. Je ne sais pas pourquoi.

Luciane était muette depuis cinq bonnes minutes. Jeffran ne le remarqua pas de suite. Il se grattait la tête, sourcils froncés, comme absorbé dans la contemplation d'un pétale de rose qui venait de s'envoler.

— Tout pourrait redevenir normal, songea la jeune femme. La nature se bat pour reprendre sa place dans un monde dévasté. Si seulement, aucune menace ne se pointait à l'horizon.

Elle attrapa au vol le pétale. En caressa le velours.

— La vie peut être si douce, et soudain nous voilà amputés des êtres qui nous sont chers.

L'image de sa mère lui revint en mémoire.

Elle se tourna vers son collègue.

— Cela ne va pas ? Tu es pâle.

Il planta son regard dans celui de Luciane. Ses prunelles s'assombrirent.

— Je crois que j'ai moi aussi eu une vision.

Elle sursauta, resta bouche bée puis s'exclama

— Quoi ? Mais, pourquoi ne pas m'en avoir parlé ? Quelle vision ?

— J'ai vu une scène, j'ai vu Erwin, j'ai vu Alvina… Luciane, continua-t-il en lui prenant les mains, il faut trouver la cause de ces visions, il faut que nous comprenions, il y a bien trop de questions. Je crois que le cube-livre de Jellane sera en partie une réponse.

Ils prirent à nouveau place dans le canapé. Côte à côte.

— De toute façon, ironisa Jeffran, une vision de plus ou de moins.

LA NUIT DES FEES

L'Histoire de Jellane – 2

…Les humains s'acharnaient à poursuivre ce funèbre chemin d'autodestruction. Certains hommes à contre-courant, faisaient naître l'espoir.

Ils œuvraient pour une énergie créative, ils œuvraient pour la liberté et la paix de chaque peuple. Leurs parcours furent rudes, et de beaucoup naquirent des œuvres et des actions qui marquèrent l'histoire.

La bonté était à l'origine dans chaque cœur. De l'évolution, découlèrent l'obstination, la peur, la convoitise, le sectarisme, le fanatisme, le pouvoir.

Chaque découverte démontrait la générosité de l'humain, et chacune dévoilait sa perfidie.

Il y eut une grande période de paix, durant laquelle, la technologie avança à grands pas. La science médicale évoluait, des maladies, des accidents, se soignaient plus aisément. Durant cette période, le nombre d'humains augmenta de façon exponentielle. Des entreprises florissantes émergèrent, et quelques-uns s'enrichirent. Des associations de défense pour les animaux, pour la liberté, pour le droit des hommes gagnèrent beaucoup de leurs combats.

Tout aurait pu être parfait, s'ils avaient cessé de créer des armes, et enfin partager les ressources de la planète.

Mais l'humain étant ce qu'il est, cette période fut surtout un tremplin vers la fin que nous lui connaissons.

Vous avez très peu d'informations sur la Grande Guerre, pourquoi et comment elle a eu lieu, car ces informations doivent être oubliées par les futures générations afin de les protéger.

Je suis née dans cette période.

Tout était facile, pour nous qui vivions en occident. Nous puisions les richesses de la planète sans jamais compter. L'eau, le pétrole, toutes les énergies fossiles, nous aspirions tels des vampires l'énergie qu'elle possédait. Nous polluions l'atmosphère mais cela ne nous concernait pas.

Nous étions entrés dans une époque de consommation compulsive. Consommer, gaspiller, jeter étaient nos habitudes, notre quotidien...

À nouveau, des images défilèrent.

Elles émanaient de reportages, de journaux télévisés, d'articles de presse, Jeffran et Luciane restaient hypnotisés devant la projection de cette masse d'information.

Inconsciemment, la chercheuse se blottit contre le jeune homme.

Il passa le bras autour de son épaule.

Le cube-livre s'éteignit.

— Il est 22 heures annonça Carmen, vous devez vous reposer.

LA NUIT DES FEES

CHAPITRE 31 - temps d'avant 1
15ème vision de Luciane

Le banquet était une réussite.

Les fiancés étaient honorés et félicités de toute part. Bérénice de Templeuve souriait d'un air béat tout en avisant son fiancé.

— Comme elle est heureuse, pensa Alvina, en se dirigeant vers son amie d'enfance.

Celle-ci la remarqua et lui fit signe de la rejoindre.

— Tu es de toute beauté ma tendre amie.

— Me voilà touchée par ton compliment ma douce Alvina.

— Le jeune sieur Guildas sera un époux parfait. Vois comme il te dévore des yeux, sourit-elle.

Les prunelles marron de la jeune Comtesse brillaient. Le soleil automnal jetait des reflets dorés dans sa chevelure rousse, parée d'une couronne de petites fleurs blanches.

— Bientôt nous fêterons vos noces à Sieur Firmin et toi. Je ne l'ai point aperçu. Est-il souffrant ? Ou reparti pour quelques batailles ?

— Que nenni ! Il est missionné pour une construction navale très importante. Il m'a chargé de te féliciter et de t'adresser tous ses vœux de bonheur.

— Fais lui part dès son retour de toute mon amitié. Je te prie de m'excuser mon amie, Guildas m'appelle.

— Ne le fais point attendre, Bérénice, la taquina gentiment Alvina. Je vais me promener un peu dans ce parc luxueux. Je ne sais où est passée Noria.

Pendant ce temps, le comte de Templeuve discutait avec Sieur de Valois.

— Vous me semblez soucieux, mon ami, êtes-vous fatigué ?

— Peut-être un peu, je l'avoue. Chevaucher deux heures durant n'est plus de mon âge, souffla-t-il.

— Voulez-vous vous retirer pour vous reposer ?

— Que Nenni ! La solitude m'est assez coutumière. Laissez-moi savourer vos délicieux mets et me trouver ainsi parmi mes chers compagnons.

— Voilà qui me ravit, Gustin, s'exclama son hôte en riant. J'aurais été contrit de votre absence.

Sieur de Valois n'était pas fatigué. Une sourde angoisse l'étreignait depuis qu'il avait lu la missive de Firmin.

Alvina avait eu la délicatesse de la partager avec son oncle. Il s'était alors retiré, puis à son tour avait pris la plume.

Scellées dans un triple parchemin, il mit sa propre missive et celle de Firmin ensemble. Il fit appeler Noria, lui confia le message et la pria de bien vouloir retourner sur ses terres.

Mirata traversa la forêt dès le crépuscule. Elle s'arrêta aux abords d'une clairière. Derrière elle, la brume tombait.

— Entre Mirata, claironna une voix fluette.

La lumière soudaine l'aveugla quelques secondes. Elle cligna des yeux.

Dans l'air, d'étonnants parfums s'échappaient. Une silhouette s'avança d'un pas léger.

— Ma chère sœur, comme il y a longtemps que je ne t'ai point vue. Je suis heureuse de ta visite.

— Je suis heureuse de te voir aussi petite sœur, tu me manquais tout autant.

— Je t'en prie, prends cette chaise et repose-toi. J'ai entendu dire que tu souffrais beaucoup de tes articulations.

— Cela n'est pas important. Et puis j'ai choisi cette condition.

— Ta protégée se porte-t-elle bien ?

— Alvina a une très bonne santé, je te remercie de ta sollicitude, fit-elle avec douceur.

— Tu n'es pas venue par simple courtoisie, n'est-ce pas ?

— Assurément, mais le bonheur de te revoir est quant à lui bien réel.

Elle embrassa du regard la cabane. Rien n'avait changé. Des étagères sans formes s'alignaient les unes contre les autres. Des boîtes, des fioles, des fleurs séchées, des ustensiles de bois aux contours étranges s'y disputaient une place.

— Rien n'est-il venu bouleverser les êtres de la forêt ?

— Nous sommes immuables, ma sœur, notre guerre sera toujours de combattre le mal, répondit son hôte tout en soignant de jeunes boutures de fleurs. Tu t'es dévouée pour rester près d'Alvina. Elle est devenue comme ta propre fille. Tu as sacrifié ton rang et ce que tu étais en acceptant la douleur, mais tu ne pourras la protéger de son destin Mirata. Tu as été désignée pour la guider.

Une ombre passa dans l'esprit de la duègne.

— Il faut que tu lises ceci.

Elle tendit deux parchemins.

— Ainsi, le temps s'accélère, murmura la silhouette. Tu ne dois plus intervenir contre Erwin, Mirata. Il n'est pas à la charge de Chérum, ne te fie pas aux rumeurs. Il faut sceller au plus vite leur destin. Dans les deux mois qui suivront le retour de Firmin, il sera peut-être trop tard. Il faudra aussi nous protéger et nous cacher. Alvina est le futur de l'humanité.

Elle tendit à Mirata un petit sac de velours.

— Juge le bon moment afin de le lui donner, ne pose pas de questions. Il lui sera révélé à l'heure voulue l'usage qu'elle devra en faire. Pars maintenant, ton absence sera remarquée sinon. Les êtres de la forêt veillent sur toi.

Mirata passa le seuil de la masure.

— Porte-toi bien Rostiline.

CHAPITRE 32 : an 2 066

Luciane s'éveilla en sursaut.

Elle s'était endormie, la tête sur l'épaule de Jeffran. Il y avait bien longtemps qu'elle ne s'était sentie autant protégée.

Jusque-là, elle ne réalisait pas combien la solitude lui pesait, tant sa mission l'accaparait.

Le décès de Klara, et celui de son père, neuf ans auparavant aiguisaient cette désolation. Luciane n'avait alors que dix-sept ans.

L'accident se produisit dans le Grand Laboratoire.

Rudy était premier chercheur en astronautique. Il travaillait sur la construction de l'Osbern.

Luciane assistait son père en tant que stagiaire à cette époque. Elle avait choisi de ne pas aller à l'Université, préférant faire ses classes dans le Grand Labo. La jeune fille, épaulée et formée par les plus grands chercheurs de la planète avait très vite passé chaque grade.

La première partie du programme était une œuvre longue et délicate.

Les anciens avaient commencé l'Osbern, bien avant le début de la Grande Guerre. En secret. Protégé dans une base souterraine en plein désert.

Quand il fut acheminé dans le Grand Labo, les scientifiques, dont son père faisait partie, en reprirent la conception.

Luciane fut nommée à la direction du Grand Laboratoire, alors que le virus s'était propagé dans le corps de Klara.

Jeanne et Igor la secondaient efficacement. Elle n'avait pas de temps à perdre avec les problèmes administratifs comme la gestion du personnel de l'AGENCE.

Jeanne s'en sortait très bien pour résoudre les affaires humaines, Igor supervisait la partie informatique et technique et établissait les comptes rendus hebdomadaires.

Le jour de l'accident, l'adolescente passait les tests de son deuxième grade.

Rudy était monté sur la coque de l'Osbern, afin de prélever un échantillon.

Certains matériaux composites employés par les anciens se devaient d'être étudiés.

Il s'était pris le pied dans un câble, chuta en arrière, et se fracassa la nuque sur la plateforme de la nacelle.

Ce mauvais souvenir la fit frissonner. Elle se leva subitement.

Jeffran remua. S'éveilla à son tour. Grommela.

— Jeffran, Mirata…

— Et bien quoi Mirata ?

— Mirata est la sœur de Rostiline.

CHAPITRE 33 - temps d'avant 1
16ème vision de Luciane

Alvina était seule dans le parc. Elle déambulait parmi les allées bordées de rosiers galliques. Le Comte de Templeuve en tant que fervent adepte de la Croix, prisait particulièrement ces fleurs. Les dernières roses de la saison s'effeuillaient lentement. Le ciel se teintait des tons orangers de la fin du jour. Elle entendait au loin les rires, les chants et le pas des danseurs.

Elle sursauta en entendant une voix.

— Bonne soirée Mademoiselle Alvina. Que mère nature vous porte en sa protection.

— Messire, fit-elle, en se retournant. Que faites-vous ici ?

— Je me promène, tout comme vous. Le besoin d'un instant de plénitude se faisait sentir. Me voilà comblé en votre présence. Cette robe vous sied à ravir.

— Vous me voyez flattée de vos compliments, Messire Erwin, mais je vous saurais gré de me laisser seule, répondit la jouvencelle excédée.

— Vous abandonnez ainsi, dans ce parc sauvage et dangereux, où vous guettent peut-être de nombreuses créatures sanguinaires ?

Elle ne put retenir un sourire.

— Et si cela devait en être ainsi ? Que feriez-vous ? Fuiriez-vous comme un pleutre, ou me sauverez-vous au risque de votre vie.

Le regard d'Erwin se fit plus sombre.

— Que Nenni, Mademoiselle Alvina, je vous enlèverai pour vous protéger et vous sauver, confia-t-il d'une voix grave.

Muette, elle le considéra quelques secondes.

Vêtu de noir, cape, chausses et guêtres, sa longue chevelure brune attachée par un lacet de cuir, les prunelles d'un bleu de minuit, le troubadour dégageait un charme ensorcelant.

Il reprit très vite son ton espiègle.

— Seriez-vous affolée à cette idée ?

— Messire, je vous trouve quelque peu audacieux !

— Chère damoiselle, je ne plaisantais point. Il en sera ainsi un jour. Vos pensées me sont miennes à présent.

Alvina s'apprêtait à lui lancer une remarque cinglante, mais Erwin s'était déjà éloigné. Cet homme la déroutait.

— Je ne suis plus moi-même en sa présence, pensa-t-elle, il serait plus sage de l'éviter à l'avenir.

LA NUIT DES FEES

CHAPITRE 34 : an 2066

— Les sédatifs de Maître Duracq ont été d'un grand secours.

— Je suis d'accord avec toi, admit Jeffran.

Il réprima un bâillement

Nous avons assimilé en une seule journée beaucoup trop d'informations.

Luciane croqua dans une tranche de pain, avala une gorgée de café tout en secouant la tête.

— Le pire étant que chacune génère une nouvelle question, répondit-elle.

Le jeune chercheur observa sa collègue.

Affublée d'un pyjama au tombé baroque, d'une couleur qui jadis devait être fuchsia, elle lui parut d'un seul coup fragile et vulnérable. Coiffée d'un chignon, elle révélait l'ovale parfait de son visage.

— Tu es très belle ce matin, déclara Jeffran d'un ton mi-railleur, mi-sérieux.

— Mon super pyjama t'a séduit ?

— Heu, fit-il en se grattant la tête. Il date de quand ?

— Il appartenait à Jellane.

— Hum, je vois. Bonjour Carmen, peux-tu me constituer un dossier sur les années 100 à 1 000 ? J'aurais besoin d'analyser les événements de cette époque. Inclus aussi toutes les légendes de l'époque, chaque croyance.

— À vos ordres mon capitaine, obtempéra la voix synthétique.

Luciane plissa des yeux.

— Que cherches-tu exactement ?

— Il y a un lien Luciane, le jardin des fées, Rostiline, Mirata, mon intuition me dit que c'est par là qu'il faut chercher.

— Et l'histoire de Jellane ? Nous n'aurons jamais le temps de tout visualiser.

— Nous ferons un tri.

— Luciane une transmission de Jeanne, intervint Carmen

— Mets-la en son total, si cela concerne le Grand Labo, Jeffran doit en être avisé.

La voix de l'assistante emplit la cuisine.

— Bonjour Luciane, comment allez-vous ? J'ai un message visuel enregistré à vous faire parvenir.

— Bonjour Jeanne, oui nous allons bien. Tu peux le transmettre dès maintenant.

La réception était médiocre. Un visage flou s'afficha sur l'écran.

Un homme d'à peine trente ans, aux cheveux blonds rejetés en arrière, le front haut, le nez rectiligne, affichait un sourire exalté.

— Luciane ! Comment vas-tu ?

Jeffran se mit sur ses gardes.

— Qui est-il ?

— Chut ! Riposta la jeune femme.

Son collaborateur se renfrogna.

L'inconnu continuait son monologue.

— Donc voilà, j'ai quitté la zone froide. Tu sais que j'y faisais des recherches ces trois dernières années. J'ai trouvé des preuves Luciane, je ne peux pas t'en parler ici, il faut que l'on se voit, mes parents avaient raison, retrouvons-nous dans trois jours au jardin des fées. J'y serai à 17 heures.

La transmission prit fin subitement.

Luciane était perplexe.

— Quelles preuves ? De quoi parle-t-il ? Et d'abord qui est ce type ? interrogea Jeffran d'un ton agacé.

— C'est Rymon, nous nous sommes connus en classe préparatoire. Ses parents travaillaient sous les ordres de mon père. Ils étaient spécialisés dans la conception mécanique. Quand nous étions jeunes, Rymon me chantait d'anciennes comptines, il récitait des fables, et me contait des histoires de prince et de princesse. Il me disait que c'était sa mère qui les lui racontait le soir avant qu'il ne s'endorme. J'ai tenu le secret, je savais que ces récits étaient interdits. Sara et Claudius Nilsen, ses parents, étaient très liés avec les miens. Ils étaient bienveillants, courageux et étaient des alliés précieux dans la recherche. Ils se sont retirés dans la zone froide, il y a quelques années, Sara ne supportait plus la chaleur de la Grande cité, elle avait de nombreux malaises, et sa santé se détériorait. Rymon les a accompagnés, il est agro-géologue, et de mon plus lointain souvenir il disait qu'un jour il réussirait enfin à transformer la zone froide en terre fertile.

— Nous irons au rendez-vous ensemble, annonça Jeffran. J'ai un mauvais pressentiment.

— Qu'est-ce qui t'arrive aujourd'hui ? Tu as le don de voyance ?

— S'il-te-plaît ne te moque pas, je suis sérieux.

Carmen s'interposa.

— Ou jaloux…

CHAPITRE 35 - temps d'avant 1
17ème vision de Luciane

Sieur Gustin de Valois s'entretenait avec Mirata.

— Avez-vous reçu ma missive ?

— Assurément, je l'ai tout de suite menée à Rostiline. Elle m'a prié d'agir prématurément. Pensez-vous que cette armée viendra réellement sur vos terres ?

— Je le crains en effet, Si Firmin s'est vu l'honneur de parlementer avec Son Altesse, il n'y a point de doute à entretenir. Le port de la Croix s'étend parmi nous de plus en plus chaque jour. Les paysans voient là une façon de conjurer leurs malheurs, de mettre un nom sur ce qu'ils ne comprennent pas, et espèrent ainsi vivre dans ce paradis promit après leur mort. Les fées, les magiciens, les effraient. Ils ont un pouvoir qu'un simple mortel ne peut posséder. Certains les jalousent même. Les êtres de la forêt prônent la liberté d'être soi-même dans le bien, ils clament l'amour de la nature, affirmant que toute notre personne est née des énergies qu'elle développe. Une alternative leur est enfin offerte. Accepter cette nouvelle croyance et enfin se persuader que l'homme est maître de la nature, don de ce dieu Unique.

— Et vous-même Monseigneur, quelle est votre opinion ?

— Je crois en ce qui existe Mirata. La nature vibre autour de nous, vous êtes devenue simple mortelle pour protéger Alvina, je connais Rostiline. Ce Dieu je ne le connais pas, je n'ai jamais entretenu de conversation en sa présence, comment pourrai-je accorder ma confiance, une foi et un amour dans ce que je ne connais point ? Cette armée viendra. Elle détruira sur son passage chaque lieu empreint de magie, elle brûlera ceux-là même dont elle jugera la nature menaçante, nos parchemins et nos plumes seront abolis. Elle dupera les plus faibles, et cette partie de leur âme qui aimera encore les fables afin de justifier nombre de sa monstruosité. Cette croyance sera notre perte Mirata. Mais nous n'aurons d'autres choix que de nous y soumettre si nous voulons survivre. Je crains beaucoup pour votre sœur.

— Elle est prévenue et ainsi grâce à vous pourra être sauvée.

— Très bien, et Alvina m'a laissé pour mon anniversaire un cadeau inestimable, sourit-il

— Je ne comprends pas Monseigneur, interrogea stupéfaite la gouvernante.

— L'étole Mirata ! L'étole où la future place de la Croix est magnifiquement représentée.

LA NUIT DES FEES

L'histoire de Jellane - 3

…En 1985, alors que les Occidentaux se laissaient submerger par cette frénésie de dépenses excessives et futiles, certains peuples méridionaux étaient décimés par la faim. À l'ouest, le parti politique tentait une réforme de transparence pour mieux s'investir dans la vie économique de la planète.

Lors d'un événement sportif, un drame éclata. Des affrontements eurent lieu qui firent plusieurs morts.

Les pays occidents signèrent un accord économique et d'autres pays vinrent les rejoindre. Les contrôles frontaliers furent abolis, et de nouvelles règles concernant l'entrée des étrangers à leur communauté furent mises en place. Des mouvements contre le racisme se développaient et certains artistes s'engagèrent dans ce combat.

Les attentats se multipliaient. Un avion explosa en plein vol. Un mouvement écologique s'insurgeait contre le nucléaire. Une épave d'un paquebot mythique fut repérée. Une marque informatique sortit une console que des millions d'enfants et adultes se procurèrent. Un volcan jusqu'alors endormi se réveilla entraînant dans une coulée de boue plus de vingt-quatre mille victimes.

Et un homme au milieu de tous ces tourments, trouva la force de s'élever. Il créa une association qui fut profitable et qui sauva de la misère des millions d'Occidentaux.

Ce sont les événements de l'année de ma naissance.

Je n'en savais rien. Les années qui suivirent amenèrent leurs lots de désolation, de guerres de pouvoirs économiques et politiques, de contrôle sur les individus. On ne parlait plus conflits de religion, on tolérait, on oubliait, mais la perversité des croyances était encore dans chaque peuple.

J'ai suivi des études de science politique, je voulais comprendre cette motivation obscure de pouvoir.

Tout paraissait si compliqué, si embrouillé, si hypocrite.

Lors de mes études, j'ai rencontré Samuel. Il se destinait à devenir physicien et étudiait la science de la matière.

Nous nous sommes mariés, puis en 2010 est née Klara. La onzième.

Je travaillais au gouvernement des Occidentaux. Et j'y découvris d'étranges secrets.

Un plan à l'échelle planétaire se mettait en place…

LA NUIT DES FEES

CHAPITRE 36 : an 2066

Il avait arpenté des centaines de fois les dédales du Grand Labo. Il en connaissait les moindres recoins. Il longea un long corridor sombre. Il entra dans une première salle désertée, se dirigea à l'autre bout de la pièce, tapa un code sur un écran, puis à nouveau traversa un second couloir. Après dix minutes de marche, il se trouva face à un mur recouvert de béton. Il passa son badge dans une fissure à peine visible et une paroi coulissa.

La pièce était baignée d'une lumière blanchâtre l'aveuglant une courte seconde. Peu à peu ses pupilles s'adaptèrent. Il aperçut le siège qui lui était réservé. Il s'y installa un cube-livre sous le bras.

— Bonjour Maître Duracq, nous vous attendions. Votre présence est primordiale.

La Maître-Diplomate Andria continua.

— Je remercie chacun d'entre vous d'être venu pour ce concile imprévu.

L'AGENCE était représentée au complet.

Chacun s'agitait sur son siège. Une telle réunion était un fait rarissime.

— Maître Duracq, vos recherches sur le virus me semble en bonne voie ?

— Je pourrais me reposer lorsqu'il sera éradiqué, soupira-t-il, ce n'est pas encore le cas. Le cantonnement reste établi pour les patients qui ont été détectés. Cependant, Klara par sa bravoure nous a prouvé que ce virus n'était pas transmissible d'humain en humain. Nous avons donc déterminé qu'il se propageait différemment. Nous ignorons sous quelle forme. Nous avons interrogé les malades dès les premiers symptômes, nous établissons des listes selon leurs témoignages pour localiser le point commun. Personne n'est donc à l'abri. Chacun d'entre nous peut le contracter.

Un frisson parcouru l'assemblée.

Tous connaissaient les ravages du virus, tous avaient vu des proches périr dans de terribles souffrances.

Le virus n'avait pas de nom, personne n'avait jamais pensé à l'affubler d'un quelconque nom.

Personne ne l'avait désiré non plus.

— Espérons que vos recherches aboutiront, Maître Duracq, déclara Andria. Maître Albin, poursuivit-elle, faites-nous un compte rendu de l'Osbern. Où en est-on ?

Le Maître-Technomécanicien toussa afin d'éclaircir sa voix. Il détestait prendre la parole en public, préférant les données informatiques et le comptage de ses vis et boulons à ces réunions. Il leva de son siège son corps trapu, rajusta ses lunettes rondes sur un nez crochu.

— La construction mécanique de l'Osbern est terminée.

Un brouhaha de contentement s'éleva.

— Nous avons grandement avancé grâce au jeune Morinaud. Il a su détecter chaque faille des différents matériaux composites, et la création de ce nouvel alliage nous a été précieuse. Il a su parfaitement l'intégrer aux endroits les plus sensibles de la coque. Nous avons testé sa résistance en températures les plus extrêmes, les résultats sont plus que prometteurs.

— Voilà un début de bonne nouvelle, approuva la Maître-Diplomate. Il semble donc que le troisième chercheur est bien celui que nous pensions.

— Et vous Maître Bernin ? Vos impressions sur Jeffran Morinaud ?

Le Maître-Chercheur à son tour se leva. Il salua ses confrères d'un signe de tête. Il avait une soixantaine d'années, mais en paraissait vingt de moins. L'allure dynamique, le sourire jovial, un regard noir qui donnait l'impression de sonder l'esprit de son interlocuteur. Une mèche de cheveux châtain retomba sur son front bombé. D'une voix claire et assurée, il prit la parole.

— Le troisième chercheur Jeffran est sans nul doute celui que nous attendions. Il épaule efficacement la jeune Luciane Grenier. Leur collaboration sera certes fructueuse, mais encore faut-il que cette réussite arrive à temps. Luciane travaille sans relâche. Comment va-t-elle Maître Duracq ?

Un silence pesant s'abattit sur la salle.

Le Maître-Soigneur se leva à nouveau.

— Luciane va bien, quelque chose l'a bouleversée, ce qui a provoqué comme vous le savez tous, cet étrange malaise. Jeffran s'est évanoui à son tour dans la journée d'hier. Pour le moment je n'ai pas encore de certitudes. Je soupçonne Jellane Grenier d'en être la cause.

— Vous avez bu Maître Duracq ? s'inquiéta Andria. Jellane n'est plus de ce monde.

— Je suis parfaitement sobre, sourit le Maître-Soigneur. Vous le savez tout autant que moi, Jellane a dévoilé la destinée de sa petite fille et de l'humanité. Nous lui avons juré le secret afin de maintenir l'équilibre nouveau. Nous savons aussi qu'il fallait que Jeffran et Luciane soient réunis. Jellane leur a peut-être laissé un témoignage.

— Si tel était le cas, nous l'aurions retrouvé.

CHAPITRE 37 - temps d'avant 1
18ème vision de Luciane

Alvina et Mirata arpentaient comme chaque semaine les allées étroites de la foire.

Toutes deux transportaient une toile peinte par Sieur de Valois.

Elles s'étaient vêtues plus chaudement qu'à l'accoutumée, l'automne étant déjà bien avancé.

Elles s'arrêtèrent devant l'étal de Mañolo.

— Buejuerno mas gentesss senoritas, fit-il en dévoilant son sourire édenté.

— Bonjour, répondit Alvina. Sieur Gustin de Valois a peint ces toiles. Vous pouvez peut-être les vendre ? Une partie de la vente afin d'acquérir de nouveaux pigments et l'autre sera pour vous. Qu'en pensez-vous ?

Le marchand examina les toiles, hocha la tête d'un signe satisfait.

Il prit soin de réfléchir quelques secondes. Il balaya ses yeux noirs de gauche à droite, puis se penchant en direction de la jeune fille, il chuchota.

— Ze veux bien, senorita, mass que ze peux pas payer vous aujourd'hui. Ze presque rien vendre.

— Ne vous en faites point pour cette affaire aujourd'hui, la semaine prochaine sera parfaite.

— Mass pourquoi votre zieur Gussetin ze garde pas à lui peinture ?

— Il préfère vous les donner en échange d'autres couleurs.

Alors que la jeune fille traitait avec Mañolo, Mirata observait les alentours. Lorsqu'elle le vit adossé au chêne des fées, elle lui adressa un subtil hochement de tête. Et s'adressa alors à sa protégée.

— Je vous prie de bien vouloir m'excuser Mademoiselle Alvina, j'aperçois Noria, il me faut lui donner la liste des épices nécessaires aux cuisines.

La jouvencelle remercia le méridional et prit congé.

— Je t'attendrai à cet étalage d'objets en bois Mirata.

Elle regarda sa gouvernante s'éloigner puis reprit son chemin en sens inverse.

Elle le sentit à ses côtés avant même de l'aviser.

— Bonjour Mademoiselle Alvina.

Elle fit halte, et se tourna vers lui.

— Messire Erwin, Encore vous ! Je ne crains aucune créature sanguinaire ici dans ce marché emplit de monde. N'ayez crainte et passez donc votre chemin.

— Les rumeurs de votre bonté seraient-elles injustifiées ?

— Pardon ? De quoi parlez-vous ?

— Vous en oubliez la bienséance et ne me souhaitez point le bonjour.

— Je vous prie de bien vouloir m'en excuser Messire, bonjour et au revoir.

Elle tourna les talons.

Un cavalier arrivait en trombe. Alvina ne l'avait pas vu.

Erwin sentit le danger immédiatement. Il attrapa la jeune fille par la taille, la souleva pour la mettre à l'abri derrière lui.

Le cavalier frôla la cape du troubadour et en arracha un morceau.

Dans l'esprit d'Alvina, en ces quelques secondes, maintes pensées défilaient.

— Que fait-il ? Serait-il devenu fou ? Dois-je crier ? Que vont penser les nobles gens de me voir ainsi ? Quelle force possède-t-il

116

là ? Qui est ce cavalier ? Grande mère nature, il m'a sauvée.

Elle chancela. Erwin la retint.

— Tout va bien Mademoiselle ?

— Oui, Messire, je vous remercie.

Sa voix tremblait.

Elle rencontra son regard. Elle sentait encore sur sa peau, à travers son manteau de laine, les mains du ménestrel. Un contact brûlant. Et voilà que dans ses yeux, elle y voyait déferler l'ombre d'un océan en furie.

Il avança une main vers son visage, releva une mèche blonde sur le front de la jouvencelle.

— Tu es très belle Alvina, ne me crains pas.

Avant qu'elle n'ait pu reprendre ces esprits, il était déjà parti.

Elle resta étourdie.

— Que se passe-t-il ? se demanda-t-elle.

Elle entendait son cœur battre dans ses tempes, ses jambes semblaient ne plus la porter, quant à l'intérieur d'elle-même elle ressentit comme une déchirure. Le voir s'éloigner faisait croître un étrange sentiment de vide.

Au loin, Mirata et Rostiline avaient assisté à la scène. Elles échangèrent un sourire. Aucune n'exprima l'ombre qui envahissait leur cœur.

CHAPITRE 38 : an 2066

Le concile se poursuivait. Divers sujets furent traités et entérinés.

Maître Andria prit à nouveau la parole et s'adressa cette fois à l'ordinateur central.

— Igor, peux-tu nous projeter l'enregistrement de tes caméras extérieures datant d'hier ?

Le Maître Bernin intervint.

— Andria, notre temps est précieux, cela en vaut-il vraiment la peine ?

— Mes chers amis, je vous assure que oui, vous savez qu'Igor surveille et enregistre chaque donnée concernant non seulement le Grand Laboratoire, mais il est aussi le cœur de notre planète en quelque sorte. Ces images ont été prises aux abords de la Grande Cité. Et je tenais à vous en informer.

Un écran blanc se déploya le long d'un mur au bout de la salle secrète.

Un groupe de jeunes gens y apparut soulevant des banderoles, scandant d'une même voix.

— Rendez-nous notre mémoire, rendez-nous nos légendes, laissez nous croire. Nous entrerons dans la Grande cité, nous ouvrirons tous vos cubes-livres interdits. Rendez-nous nos racines.

— Sont-ils devenus fous ? balbutia le techno-mécanicien.

— Ils n'ont pas compris que nous les protégeons de leur passé, répliqua le soigneur Duracq.

— La situation ne peut s'aggraver dans le contexte actuel. Un climat serein est nécessaire pour que nous puissions travailler à la sauvegarde de la planète. Jellane et Klara n'auraient jamais voulu qu'une telle chose arrive. Il est donc temps de voter leur successeur pour que sa voix résonne à travers le monde. Je vous suggère si vous le voulez bien de réfléchir en votre âme et conscience et de voter pour qui sera le plus à même parmi les Élites à endosser ce rôle.

Le silence fit écho aux bruits de chaises et aux murmures.
Une demi-heure plus tard, Igor projeta sur grand écran le résultat des suffrages. Personne ne fit aucune objection. Personne ne fut surpris.

La voix synthétique résonna.

— À cent pour cent de voix, Luciane est élue porte-parole, régente et détentrice du message de Jellane et Klara Grenier.

Luciane et Jeffran ignoraient cette réunion urgente et secrète.

Maître Albin avait programmé Igor de façon à ce que nulle interférence avec Carmen ne vienne en perturber le cours. Maître Duracq avait ordonné aux deux scientifiques de se dégourdir les jambes.

— Luciane, vous devriez faire visiter les contours à Jeffran. Cela vous permettra de vous détendre et une promenade vous fera le plus grand bien physiquement.

Jeffran admirait les splendides bâtisses anciennes. Les façades ocres, blanches ou rouges contrastaient avec le ciel azur. Elles étaient parfaitement conservées, ou rénovées pensa-t-il. Les rues étaient bordées de larges trottoirs décorés de bosquets verdoyants, des petites places de gazon fraîchement tondu donnaient à l'ensemble une note sereine.

L'endroit s'opposait à la modernité de la Grande Cité. S'il n'y avait eu les câbles et quelques aéro-cars, il aurait pu imaginer être à une autre époque.

Il essayait de deviner à quel membre de l'Élite, telle ou telle maison appartenait.

Luciane les lui désigna.

Les contours ne représentaient pas moins de trente hectares. Après avoir déambulé plus d'une heure à travers les rues, ils décidèrent de faire une halte et se posèrent sur un banc.

Le jet d'une fontaine non loin d'eux jouait une mélodie relaxante.

Le temps était suspendu, leurs âmes se calmaient. Ni l'un, ni l'autre n'eut envie de briser cet instant de paix par une parole futile.

Jeffran prit la main de Luciane, elle posa son visage sur l'épaule de son compagnon.

Elle se leva précipitamment. Jeffran la regarda interloqué.

Elle mit la main à son pendentif. Jeffran fixa le bijou.

Elle ressentit une chaleur intense émaner de l'amulette.

Il fut surpris par le scintillement étrange de l'objet.

CHAPITRE 39 - temps d'avant 1
19ème vision de Luciane

L'homme descendit de sa monture. La coule qu'il portait balayait le sol poussiéreux. Son visage, creusé de sillons laissés par de longues chevauchées à travers d'autres contrées, affichait un air sévère.

Il interpella un palefrenier.

— Et toi là-bas ! Veille à traiter mon cheval comme il se doit, et dis-moi en quel lieu je puis trouver Sieur de Valois ?

Le palefrenier un tantinet apeuré lui désigna la direction du manoir.

L'homme s'y dirigea d'un pas alerte.

Gustin de Valois, absorbé par la taille de ses rosiers préférés, ne vit pas le moine de suite.

— Alors mon cher beau-frère ! Vous chérissez toujours les roses de ma défunte sœur ?

Le noble releva la tête, et regarda le nouvel arrivant avec méfiance.

— Yvonic ! Que faites-vous là ? La vie monacale ne vous convient plus ?

— Que nenni Gustin ! Au contraire ma vie loin de toute cette agitation me ravit chaque jour. Je suis porteur d'un message. Firmin n'est pas encore rentré n'est-ce pas ?

Sieur de Valois ressentit au fond de son cœur une sourde angoisse.

Il lâcha les cisailles, ses mains tremblèrent.

Son visage prenait un teint blafard.

Le moine flaira le malaise de son beau-frère.

— Prenez place sur ce banc, suggéra-t-il. Je tiens à vous rassurer tout de suite, Firmin va bien, aucun mal n'est venu le contrarier.

Les joues du vieillard reprirent un peu de couleurs.

— Qu'y a-t-il alors ? Ne me faites point languir. Je vous prie de bien vouloir m'excuser, je manque à tous mes devoirs. Voulez-vous vous rafraîchir après une si longue chevauchée ?

— Parlons d'abord de notre affaire, proposa Yvonic.

— Bien ! Je vous écoute !

— Son Altesse a rencontré Firmin il y a quelques semaines. Firmin semble lui avoir légué toute autorité pour convertir vos gens à la Croix. Je suppose que là était un agrément afin que Son Altesse intercède auprès du préfet pour la construction de ce nouveau port.

— Oui, j'en suis informé, une missive de sa part m'a donné quelques éléments à ce sujet. Mais en quoi cela vous concerne-t-il ?

— Vous concerne mon cher beau-frère, répliqua le moine. Vous ne croyez pas à la Croix, vous vénérez les êtres de la forêt et les anciens dieux. Vous encouragez les fêtes païennes, et je ne sais quelle influence vous possédez sur notre nièce. Son Altesse a déjà rassemblé une armée de nouveaux croyants. Curieusement, ces soldats sont d'anciens célicoles. Ces ex-hérétiques ne sont guère vertueux. Leur chef, un certain Carlos de Franga est un être aigri, acariâtre et implacable. Il veut sauver son âme, Son Altesse l'a absout de crimes inqualifiables. Sa cruauté actuelle n'a d'équivalent que sa conviction en la nouvelle croyance. Cette armée, Gustin, est déjà en route. Dans dix jours, elle sera sur vos terres.

Sieur de Valois blêmit.

— Dix jours ! C'est trop tôt. Pourquoi avant le retour de Firmin ?

— Parce que c'est lui-même qui a donné son accord signé à son Altesse.

LA NUIT DES FEES

CHAPITRE 40 : an 2066

Le pendentif avait repris son aspect habituel. Plus de sensation de chaleur, plus de scintillement.

Jeffran s'approcha de Luciane, prit la pierre dans sa main. Il la soupesa, la retourna plusieurs fois, le bijou était inerte.

— Cela s'est-il déjà produit ? questionna-t-il

— Non jamais, répondit Luciane encore décontenancée par l'étrange phénomène.

Son communicateur vibra. Elle prit l'appel.

La voix pleine d'assurance de la Maître-Diplomate sortit de l'appareil.

— Bonjour Luciane. Venez rapidement au Grand Laboratoire. Nous avons quelque chose d'important à vous faire part.

— Le programme ? interrogea Luciane.

— Non, venez, vous le saurez à votre arrivée.

La communication prit fin tout aussi brusquement qu'elle n'était venue troubler leur précédente stupéfaction.

— Que se passe-t-il ? s'enquit Jeffran.

— Viens rentrons !

Elle utilisa à nouveau son communicateur.

— Carmen, programme l'aéro-car en direction du Grand Labo. Mets-le en puissance maxi.

Arrivés à la maison familiale de la chercheuse, ils enfilèrent tous deux la veste thermoprotectrice de l'AGENCE, puis montèrent dans le véhicule.

Jeffran regarda au travers des hublots les imposantes bâtisses disparaître peu à peu. Il discerna ensuite l'architecture familière. La Grande Cité se dessinait devant eux, les aéro-cars se croisaient, une multitude d'employés du Grand Labo fourmillait dans les rues.

Il observa discrètement sa collaboratrice.

Le visage fermé, elle triturait nerveusement la fermeture éclair de sa veste.

Ils furent étonnés à leur descente.

Les Élites de l'AGENCE les attendaient sur la plateforme.

Ils suffoquèrent quelques secondes, happés par une chaleur accablante.

Luciane prit la main de Jeffran comme pour se donner du courage.

Tous deux, d'un même pas alerte, s'avancèrent vers les membres de l'AGENCE.

Après les salutations d'usage, ils se laissèrent guider.

Le cœur de Luciane battait à un rythme soutenu, Jeffran tentait quelques exercices de relaxation mentale.

Ils arrivèrent dans une immense pièce.

Tout le personnel du Grand Labo semblait y être réuni.

— Oh non, pensa Luciane, il est déjà trop tard. S'ils sont tous là, c'est sûrement la fin. Nous n'avons pas été assez rapides.

Maître Duracq avait deviné les tourments de la jeune femme.

— Non Luciane, ne vous en faites pas. Nous avons toujours les mêmes délais pour le programme.

— Alors que se passe-t-il ? demanda-t-elle nerveusement.

— Igor montre nous l'écran du suffrage !

Le regard rivé sur les chiffres projetés par l'ordinateur, Luciane resta bouche bée.

— Qu'est-ce que ? Je ne comprends pas ?

Elle se tourna vers Jeffran, il souriait. Et la prit soudain dans ses bras, la faisant tournoyer.

125

— Mais enfin, regarde ! Tu es la Première Élite Luciane. Félicitations !

La scientifique ne comprenait toujours pas.

Maître Andria prit la parole.

— Luciane Grenier, vous avez été élue au suffrage universel Première Élite. Vous prenez ainsi la suite de Jellane et de Klara pour que la paix et leurs idéaux se poursuivent ici bas. Si vous voulez bien vous avancer.

Luciane, chancelante, se dirigea vers l'estrade. Maître Duracq lui tendit la veste que portait Klara avant son hospitalisation. Celle que sa grand-mère avait aussi revêtue après la Grande Guerre. Elle retrouva peu à peu ses esprits, et déclara d'une voix mal assurée.

— Je vous remercie de votre confiance, mais je ne peux accepter. Vous savez que mon travail est important. Que me restera-t-il comme temps pour accomplir au mieux ma mission ?

— Vous continuerez à travailler sur ce projet, affirma la Maître-Diplomate. Nous avons tous beaucoup de choses à mener sur plusieurs fronts, Luciane, nous savons que vous-même et vos travaux êtes primordiaux, mais à présent vous détenez toute autorité. Nous avons confiance en votre sagesse héréditaire, et le temps est venu pour agir au plus vite. Igor s'est déjà chargé de relier l'information à toute la population.

Une slave d'applaudissements retentit.

— Il faut que vous visualisiez ceci aussi.

À nouveau, les images des "pro-légendes" manifestant furent projetées.

— De quel jour datent-elles ? demanda Jeffran.

— D'hier, répondit Maître Albin.

CHAPITRE 41 - temps d'avant 1
20ème vision de Luciane

Alvina était dans sa chambre. Elle peignait avec nonchalance sa longue chevelure blonde. Elle ne cessait de repenser à l'éclat mystérieux des prunelles du troubadour.
Sa peau avait mémorisé le contact furtif de ses mains.

— Il m'a tutoyé, se dit-elle. Quelle audace a-t-il eu là !

Mirata fit son apparition dans la pièce.
— Mademoiselle, j'ai frappé à votre porte, et vous ne répondiez point. Aussi me suis-je permis d'entrer tant j'étais inquiète de votre silence. Quelque chose vous chagrine ?
La jouvencelle hocha la tête.
— Que nenni ! Et toi-même, Mirata comment te portes-tu ?
— Je vais mieux, Mademoiselle. Mes articulations ne me font point souffrir aujourd'hui.
— J'en suis ravie.
Elle aperçut une cordelette dépasser de la main de la gouvernante.
— Qu'est-ce-donc ?
Mirata ouvrit la paume et s'avança vers la jeune fille. Elle lui tendit le petit sac de velours.

— Il est temps que je vous donne ceci, Mademoiselle Alvina. Portez-le à votre cou, sans pour le moment l'ouvrir. Laissez-le bien fermé. Vous saurez quand il vous faudra le retirer. Mais surtout, en aucun cas vous ne devez le perdre. C'est très important.

— Mais qu'est-ce donc ? Voilà bien des mystères Mirata ! Je ne suis plus une enfant qui aime ce genre de secret !

La voix de Mirata se fit plus sourde, plus autoritaire. Le regard impérieux et fixé dans celui de sa protégée elle prononça ces quelques mots.

— Tu es l'héritière, tu es la lignée, tu es la sauvegarde. N'ouvre ce velours que lorsque le soleil te fera signe par sa puissance. Ma sœur te guidera bientôt, un nouveau mal approche, de tout temps il te faudra le combattre.

Un silence se fit, Mirata redevint elle-même, Alvina enfila autour du cou la petite cordelette de cuir.

La duègne partie, Alvina de Valois se demanda ce qu'il s'était réellement passé. L'importance du petit sac était à présent bien ancrée en son esprit.

CHAPITRE 42 : an 2066

— Félicitations Luciane ! complimenta Carmen dès le retour des deux jeunes scientifiques.

— Merci, répondit Luciane encore sous le choc de la nouvelle. La cérémonie de passation a lieu demain dans le Grand Laboratoire. Je ne suis pas encore apte pour ce genre de responsabilité. Déjà la mission m'accapare, je ne peux m'amuser à autre chose pour le moment.

Elle enleva sa nouvelle veste thermoprotectrice et l'envoya à l'autre bout de la pièce.

— T'amuser ? gronda Jeffran. Tu te rends compte de ton statut ? Nul autre que toi ne peut diriger cette planète Luciane. Ce gouvernement est un legs de ta grand-mère et de ta mère. Tu ne peux pas les décevoir, tu as enfin l'autorité nécessaire pour mener toutes les enquêtes que tu veux pour la mission, tu as accès à présent à toutes les archives secrètes. Toi seule peux maintenir la cohérence actuelle.

— Tout cela est trop, répondit-elle d'un ton las. Carmen prépare-nous un café s'il-te-plait.

— Je suis inquiet pour cette rébellion, reprit Jeffran soucieux. Si les 'pro-légendes" font renaître les religions, alors nous risquons de faire comme les anciens et à nouveau nous entre-tuer.

— Comment les contenir ?

— Je crains que cela ne devienne une de tes priorités.

— Jeffran, tu le sais bien, s'énerva Luciane, MA priorité est de trouver les bonnes coordonnées. Si seulement le ciel pouvait ne plus bouger une minute !

Jeffran éclata de rire.

— Ce n'est pas le ciel qui bouge Luciane, ce sont la planète et les étoiles.

— Si seulement mes parents étaient encore là !

Luciane éclata en sanglot. Jeffran l'attira vers lui doucement, la prit dans ses bras. Patient, il laissa sa collègue déverser son trop-plein d'émotion.

Les yeux rougis et gonflés, elle releva son visage et leurs regards se croisèrent.

— Merci, chuchota-t-elle.

Elle se sentait rassurée, épaulée, secondée, écoutée et comprise.

Mais autre chose, quelque chose de fort et subtil grandissait en elle. Elle ne comprenait toujours pas pourquoi ces flashs apparaissaient en sa présence, mais ces visions ne l'effrayaient plus. Elle s'attachait aux personnages, à l'époque. Elle était curieuse de connaître leur destin, elle craignait pour leur vie à l'annonce de l'arrivée de Carlos de Franga. Les images du cube-livre de Jellane leur avaient montré tout un pan de l'histoire de l'inquisition.

Ils avaient vu les horreurs des tortures, l'horreur du bûcher et des décapitations.

Elle ne craignait plus un simple contact physique avec Jeffran, elle ne cherchait plus à l'éviter. Au contraire se surprit-elle à réaliser, elle désirait ces contacts.

Elle le vit s'approcher plus près de son visage, doucement, elle pouvait sentir son souffle sucré, elle ferma les yeux, et leurs lèvres se rapprochèrent.

CHAPITRE 43 - temps d'avant 1
2ème vision de Jeffran

Mirata avait tout manigancé.
Elle avait donné rendez-vous la veille à Erwin.

Emmitouflée dans de vieux vêtements de paysanne, une cape recouvrant son visage et sa chevelure grisonnante, personne ne pouvait la reconnaître.

Elle le retrouva près du vieux chêne dans le village déserté par l'heure tardive.
Elle leva les yeux vers une lune bientôt pleine.
— Alvina a le velours. Rostiline le lui dévoilera quand il sera nécessaire. Erwin, le temps est compté, les soldats de son Altesse seront bientôt là. Nous ne célébrerons pas Samhain cette année. Tu as beau te cacher en tant que barde, ils te retrouveront. Alvina et toi êtes les porteurs de l'espoir du monde.

Mirata s'arrêta un moment. Inquiète, elle regarda fixement le troubadour.
Elle scruta son regard comme si elle désirait fouiller l'esprit d'Erwin.
— Alvina est comme ma fille, reprit-elle alors. Je l'ai protégée, éduquée, elle m'est précieuse. Alors réponds-moi

sincèrement Erwin, l'aimes-tu ?

Le troubadour affichait sans cesse un air désinvolte, sûr de lui, rien ni personne ne pouvait l'effrayer, rien ni personne ne pouvait le troubler.

Mais là, sous le regard perçant de la gouvernante, son teint prit une légère couleur rose.

— Je l'aime Mirata, réellement, je l'aime depuis que je l'ai vu il a déjà trois ans de cela, lors de vos premières promenades au marché. Elle ne m'a jamais vu, Rostiline avait fermé son cœur et ses yeux. Car le moment de me dévoiler à elle n'était pas encore venu. Elle était trop jeune, encore bien trop fragile de la perte de ses parents. Je l'aime pour elle-même Mirata, et je la protégerai, et non pas seulement à cause d'une prophétie d'un vieux fou.

La dame de compagnie lui jeta un regard sévère et froid.

Et à nouveau sa voix, sombre et lointaine fit écho avec le silence.

— Chérum n'est pas un vieux fou. Sa puissance magique est unique, il sait voir dans l'ombre et la lumière, pourquoi insultes-tu ton aïeul ?

— Comment pourrait-il percevoir l'avenir et le monde tel qu'il sera dans deux mille ans ? Comment le Dieu Lug pourrait-il avoir un ennemi ?

Un nuage passa devant la face lunaire.

Mirata avait retrouvé son timbre naturel.

— Il faut que je m'en retourne au manoir. Mon absence risquerait d'être découverte.

Erwin resta un long moment, pensif, à regarder s'éloigner Mirata, à observer les rares étoiles, le ciel obscur et froid.

CHAPITRE 44 : an 2066

Jeffran chancela. Il se rattrapa au bras de Luciane.

— Que se passe-t-il ? demanda-t-elle soucieuse.

Le jeune homme était blême. Les prunelles vitreuses, il ouvrit la bouche sans qu'aucun son ne puisse en sortir.

Elle se précipita vers la cuisine et lui apporta un verre d'eau.

Il était assis sur le sol.

Son visage reprit quelques couleurs de vie.

— J'ai eu une vision, parvint-il enfin à articuler.

Il en fit le récit à la jeune femme.

— Se peut-il que tout ceci ait vraiment un sens ? supposa-t-elle. Klara s'est efforcée à nous inculquer que la seule vérité était que ce qui était vie, que seul l'imaginaire n'était autre que notre intelligence, que nos rêves n'étaient que le tri de nos actions, de ce que nous voyons consciemment ou pas, Jellane nous a mis face à des violences engendrées par les humains dont jamais je n'aurai pu imaginer l'ampleur, des violences issues la plupart d'entre elles par des fanatiques religieux. Les 'pro-légendes'' à nouveau se rassemblent pour retrouver d'anciennes croyances, et nous Jeffran, ces visions, pourquoi nous envahissent-elles ? Lorsqu'elles n'arrivaient qu'à moi, je pouvais espérer, que ce n'était dû qu'au surmenage, que c'était mon inconscient qui se libérait d'une certaine pression, tel un fantasme, des rêves hérités génétiquement, mais à présent cela t'arrive aussi. Les conséquences même fugaces sur notre métabolisme sont douloureuses. J'ai l'impression subtile d'un parallèle. Et voilà que dans une de tes visions, un démon pourrait avoir vu notre monde ? Que leur dieu Lug aurait un ennemi ? Sais-tu qui était Lug ? Dans mes visions l'inquisiteur arrive. Une nouvelle religion va apparaître. Jellane en parle dans le cube-livre. La suite nous la connaissons. Ou presque. Et dans un des flashs, Sieur Gustin a prédit des choses qui se sont bel et bien passées.

Jeffran se grattait la tête, attentif au monologue de sa collègue.

— Qui était Lug ?

— Le dieu du soleil dans la religion à l'époque de nos visions.

— Comment le sais-tu ? C'est Rymon qui t'en avait parlé ?

Elle secoua la tête.

— Non, j'ai fait des recherches sur les croyances de cette époque cette nuit. Je n'arrivais pas à trouver le sommeil.

— Luciane, ces visions sont des messages, j'en suis sûr, mon intuition me pousse à le croire, il faudrait que nous puissions les commander, les appeler quand nous le désirons, nous ne serions alors plus pris au dépourvu.

— C'est impossible, j'ai déjà essayé.

— Qu'as-tu dit tout à l'heure dans ton discours ?

— Beaucoup de choses, mais à propos de quoi ?

— Des rêves, tu as dit quelque chose qui me semble pertinent.

— J'ai supposé que cela pouvait être des rêves hérités génétiquement.

— Tu veux dire comme les animaux qui savent d'instinct comment se nourrir, comment fabriquer un nid, un terrier ? Comme les migrations d'oiseaux d'avant la Grande Guerre ? Qui savaient naturellement se repérer et connaissaient leur destination ?

— Oui une mémoire génétique en somme.

Il prit un biscuit puis alla s'installer dans le vieux canapé.

— Ton hypothèse est intéressante, mais je ne pense pas qu'elle soit recevable dans notre cas.

Luciane s'installa à ses côtés.

— Et pourquoi pas ? dit-elle en haussant les épaules.

— Parce que nos ancêtres sont différents, ils ne vivaient pas dans le même pays, mes aïeuls priaient certainement d'autres dieux, les visions ne surviennent que lorsque nous sommes ensemble. Il existe donc une forme d'énergie qui les engendre, peut-être nos atomes réciproques, l'électricité de nos cerveaux.

— Le physicien a parlé, dit-elle en riant. Excuse-moi, tu as peut-être raison. Le temps va nous manquer pour faire le tri désormais dans nos recherches, continua Luciane d'un ton chagrin.

— Hum hum

Carmen venait de s'interposer dans leur conversation.

— Oui Carmen ?

— Désolée de vous interrompre mais si je puis être utile d'une quelconque façon n'hésitez pas !

Après une minute de réflexion, Jeffran proposa.

— Bien c'est une très bonne idée de nous rendre service et je crois Carmen que le travail qui va t'incomber, t'occupera la semaine entière.

— Jeffran tu as oublié que j'étais multi tache ? Et rapide ? Je suis un ordinateur.

Les deux jeunes chercheurs perçurent comme une pointe de fierté dans la réponse de l'ordinateur.

— OK, tu vas éplucher toutes les religions, chaque époque en détail, toutes les archives des anciens, nous savons maintenant que Jellane et Klara ont sauvegardé l'histoire de l'humanité dans des archives tenues secrètes, tu vas me sortir la biographie complète de Rymon et de ses parents, tu vas me sortir la carte du ciel de chaque siècle, nous n'aurons pas le temps de visualiser le cube-livre de Jellane, peut-être plus tard. Car je suis curieux de savoir comment elle avait pu deviner que je serai auprès de Luciane. Tu me fais un tri de tout cela Carmen, et tu m'en fais un résumé ensuite.

— Tu crois pouvoir trouver quelque chose de concret dans ces archives ?

— J'en suis certain.

LA NUIT DES FEES

CHAPITRE 45 - temps d'avant 1
21ème vision de Luciane

La pluie tombait depuis cinq jours. Des jours froids et gris.
Sieur de Valois décida de chasser cette grisaille quotidienne.
Il invita plusieurs personnes à sa table.

Alvina observa cette tablée hétéroclite. Elle réprima un sourire. Elle reconnaissait bien là son oncle. Il faisait fi des conventions.

Yvonic le moine, qu'elle fut heureuse de revoir à l'occasion, discutait gaiement avec Mañolo. Sieur Gustin désirait connaître le marchand de couleurs et peut-être plus tard dans la journée proposer des idées d'autres teintes. Le huron était fier de l'invitation reçue. Et quel plaisir à nouveau, pensa-t-il, de pouvoir bavarder dans sa langue maternelle.

Le moine lui avait relaté ses longues années de vie dans son pays. Yvonic avait quitté le pays, quitté son titre de noblesse pour embrasser la nouvelle religion et aider les plus démunis, soigner les mendiants.

Sa décision avait énormément chagriné sa sœur et son mari. Le vieil homme lui tenait encore rigueur de ses choix de vie.

Noria et Mirata échangeaient des conseils domestiques.

— Non disait Mirata, ne jamais mettre de linge blanc sécher

dehors au soleil, il jaunirait.

Alvina dévisagea la femme qui se tenait à la droite de son oncle. Elle ne l'avait jamais croisée auparavant.

Elle parlait peu, mais tout son être reflétait une générosité, une attention hors du commun. Sa présence était rayonnante et aérienne. Alvina ne trouva pas d'autres mots pour exprimer au mieux ce que l'inconnue dégageait. Elle était venue avec un magnifique bouquet de fleurs jaunes.

— Je vais peindre leur beauté, l'avait alors remerciée Sieur de Valois.

Ses longs cheveux bruns et frisés tranchaient sur sa robe du même ton que les fleurs.

— Et dans vos contrées ma chère Rostiline, ne souffrez-vous point de la pluie ?

Alvina tourna la tête vers l'inconnue.

— Rostiline. Ce prénom m'est familier. Et pourtant je ne l'ai jamais vue, songea-t-elle.

Elle croisa le regard du troubadour. Il lui adressa un sourire malicieux.

— Mon Cher Gustin, vous savez bien que par chez moi il y fait toujours soleil, répondit Rostiline.

À la fin du repas, le vieil homme leur proposa une détente près du feu dans la bibliothèque.

Alvina déclina l'invitation. Malgré la pluie, elle souhaitait se promener dans le parc.

Elle entendit des pas résonner alors qu'elle longeait le corridor. Erwin la rattrapa.

— Puis-je vous accompagner ?

Elle hésita une seconde.

Elle n'osait regarder ses yeux.

— Avec plaisir, finit-elle par répondre.

Erwin lui offrit son bras. Elle passa le sien dessous.

Tout en flânant, leurs regards s'attiraient régulièrement.

Ils ne parlaient pas.

Elle fit une pause, Erwin lui fit face. Il brisa le silence et se mit à fredonner quelques vers. Il chantait dans une langue mystérieuse, elle l'écouta envoûtée par sa voix.

Si elle pouvait traduire, elle entendrait ces quelques mots :

- Je vous dirais
Comme je soupirai
Quand vous étiez loin
Des siècles nous seront témoins
Mon cœur s'est perdu
Mon être est confondu
La nuit je chante ma peine
Loin de vous que j'aime
Mon âme mélancolie
Me voilà à vos genoux
Si près de vous
Nos âmes dans les âges
Partiront en voyage

Elle frissonna. La température était fraîche, il remonta délicatement l'étole sur les épaules de la jouvencelle. Telle une caresse furtive.

Alvina n'avait cette fois-ci nulle intention de fuir, nulle envie de riposter.

Elle lui adressa un sourire timide.

Il avança son visage plus près du sien. Elle ne bougea pas.

Dans les yeux du troubadour, elle y vit la couleur d'une mer déchaînée, des éclairs d'un orage d'été, un ciel de plein été étoilé.

Ses prunelles dégageaient une attirance, une profondeur fascinante. Elle eut tout à coup envie de se laisser aller, de sombrer dans cet abysse.

Elle en ressentait à la fois une crainte et un besoin quasi viscéral.

Leurs lèvres s'attirèrent.

Ce fut une déferlante de sensations étourdissantes, une insoutenable ivresse, qui l'envahissaient au plus profond de son être. Elle vacilla, s'accrocha à son bras.

Elle avait perdu toute notion de la réalité.

Leurs lèvres s'éloignèrent.

Leurs lèvres se cherchèrent à nouveau.

Erwin lui souffla : je t'aime Alvina.

CHAPITRE 46 : an 2066

Luciane se trouvait sous la pergola. Elle admirait les fleurs, appréciait la douceur des parfums. Elle réfléchissait à l'allocution qu'elle serait obligée de faire dès le lendemain. Un discours enregistré et diffusé partout sur la planète. Jeffran s'approcha d'elle.

Il vit la jeune fille soudain défaillir. Il la retint à temps.
— Que se passe-t-il ? demanda-t-il anxieux.
Leurs fronts se touchaient.
Luciane ressentit un bouillonnement intérieur. Elle venait de vivre cette secousse dans sa dernière vision.

Elle vit le regard turquoise de Jeffran. Elle reconnut la même ardeur qu'avait le troubadour.

Elle considéra les traits de son visage. Et à l'instar d'Alvina elle accepta l'appel de cette volupté.
Jeffran observait la jeune femme. Les yeux de Luciane avaient viré au vert émeraude. Purs, presque translucides, il devinait le tourbillon d'émotion, il en partageait le déchaînement. Il l'embrassa.
Violent, doux, leur baiser déclencha un kaléidoscope d'images.
Ici, ailleurs, maintenant et jadis, des sons, des arômes, des couleurs, des stimuli divers s'emparaient de leurs sens.

Luciane s'agrippa aux épaules de Jeffran.
Il resserra son étreinte.
Une larme coula sur le visage de la scientifique.
Il l'interrogea du regard.
— J'ai peur… murmura-t-elle.

CHAPITRE 47 - temps d'avant 1
22ème vision de Luciane

Alvina était souffrante. Alitée depuis la veille, le teint pâle, Mirata la veillait.

Le médecin était venu, avait préparé quelques infusions mais la température ne baissait pas.
La gouvernante était impatiente.

Elle avait missionné Noria de prendre contact avec Rostiline.
Sa jeune sœur arriva enfin. Alvina s'agitait dans son sommeil.
Elle pria Mirata de sortir de la chambre.

— Je dois être seule pour ces incantations.
Rostiline décrivit un cercle autour du lit de la jouvencelle. Elle installa quelques bougies, jeta une fine poudre argentée sur le corps d'Alvina.
Alors que la cérémonie de guérison prenait fin, la porte s'ouvrit.
— Noria m'a fait prévenir à ta demande. Comment se porte-t-elle Rostiline ?
— Lorsque la lune se lèvera, elle sera guérie.
Elle posa la main sur le bras du jeune homme.
— Tout va bien. Votre destin est scellé, tu ne la perdras pas

maintenant.

— Je ne veux pas la perdre, jamais, Rostiline, je me degengle de ce prétendu destin, je me degengle du futur, je veux l'aimer.

— Calme-toi, Erwin. Reste près d'elle, je vais avertir Mirata, ainsi tu pourras veiller Alvina sans être dérangé.

CHAPITRE 48 : an 2066

Ils s'étaient rejoints dans la cuisine pour un petit-déjeuner rapide.

Luciane était nerveuse. Des cernes apparaissaient sous ses yeux, son visage était crispé.

— Pourquoi ne veux-tu pas m'accompagner ? Ta présence me soutiendrait.

— Nous en avons parlé hier. Durant ton discours, tu ne peux pas te permettre d'avoir une vision. Il te faudra toute ta concentration. Si je suis près de toi, cela risque à nouveau d'arriver. Je te rejoins en fin de matinée. C'est aujourd'hui ce fameux rendez-vous n'est-ce pas ? Nous nous y rendrons ensemble. File te préparer à présent, tu es très belle dans ce pyjama fuchsia, mais je pense qu'il n'est pas assez respectable pour ton rang, fit-il dans un sourire.

— Tu as raison, mais toute cette situation m'échappe. J'ai révisé mon discours toute la nuit. Et je ne m'en souviens plus !

— Calme-toi ! Je suis sûr que tout ira bien et que tu seras parfaite.

Elle l'embrassa rapidement sur la joue, il ne la retint pas.

Jeffran entendit, à peine un quart d'heure plus tard, le bruit de l'aéro-car s'élancer.

— Carmen, préviens-moi quand l'heure de l'allocution sera

transmise. Pour le moment montre-moi le chemin du grenier.

— Le quoi ?

— Le grenier Carmen ! Tu sais la pièce tout en haut d'une maison où on entassait jadis les choses devenues inutiles mais dont personne ne voulait se débarrasser.

— Ah oui, le grenier !

— Quelque chose ne va pas aujourd'hui ? Ta mémoire vive est morte ?

— Tu es très drôle ce matin Jeffran. Je sais ce qu'est un grenier. Mais ce que je ne sais pas c'est l'intérêt que tu lui portes ? Tu espères retrouver de vieilles photos de Luciane enfant ?

— Je n'avais pas envisagé cela, mais pourquoi pas. Sérieusement Carmen, je veux tenter de retrouver des anciens livres, des anciens écrits, peut-être que Jellane a laissé autre chose que ce cube-livre comme héritage. Ce pendentif, que Luciane possède, m'intrigue.

— Bon, je vais t'indiquer le chemin, mais si tu trouves quelque chose là-haut, tu ne le sors pas de la pièce. C'est compris ?

Le ton devenu soudain autoritaire surprit le scientifique.

Il grimpa, en suivant les flèches que l'ordinateur affichait, un long escalier en colimaçon qui le mena deux étages plus haut de celui où se situaient les chambres.

Il poussa une porte en bois, et le grincement sordide des gonds le fit sursauter.

Il avisa un vieil interrupteur sur le pan de mur à sa gauche, et l'enclencha. Une lumière à peine jaunâtre s'échappa d'une ampoule à incandescence. Une relique, pensa-t-il, et le royaume des araignées.

Il enleva d'un mouvement de bras les toiles tissées par les arachnides qui lui barraient la route. Il détestait ces bestioles, même s'il avait eu très rarement l'occasion d'en croiser.

Une planche craqua sous ses pas. Et j'espère, se dit-il, que le plancher est encore robuste.

Il regarda autour de lui. Des étagères poussiéreuses sur lesquelles s'entassaient livres, cahiers, boîtes, vieux outils, vaisselle ancienne, comblaient des murs en torchi.

Il s'avança prudemment en faisant bien attention à la solidité des planches sous ses pieds.

Il se mit à la hauteur des livres, et s'efforça de déchiffrer les titres des ouvrages. Beaucoup étaient en langues étrangères.

Des langues qui n'existaient plus depuis la Grande Guerre des anciens, et peut-être même des langues qui n'existaient qu'en des temps très reculés.

Il en prit un au hasard, souffla sur la couverture. Un flot de particules de poussières s'éleva dans les airs. Il éternua. Les objets tremblèrent.

Il frissonna. L'endroit ne l'inspirait pas, mais sa curiosité naturelle de chercheur prit le dessus.

Il feuilleta les pages. Et fut émerveillé par la qualité des illustrations.

Il en retira un, puis deux, puis encore un autre.

Sa conscience le rappela à l'ordre. '*Tu es là pour trouver un manuscrit, un journal, pas pour faire le rat de bibliothèque.*"

Il parcourut les cinquante rangées de livres sans rien trouver de particulier.

Soudain son regard fut attiré par une esquisse sur une couverture en cuir d'un gros volume. C'était la représentation du pendentif de Luciane.

Alors qu'il allait le retirer de l'étagère, la voix de Carmen retentit.

— Tu as deux minutes pour redescendre Jeffran, le discours de Luciane va être retranscrit. Et n'oublie pas, rien ne sort d'ici.

Il souffla intérieurement et redescendit les marches quatre à quatre.

Il venait à peine de s'installer dans le canapé que le visage de sa collègue apparut sur l'écran.

Elle arborait un sourire diplomatique, un regard grave. Ses cheveux coiffés d'un chignon conféraient à l'ensemble de son visage un air austère.

Il remarqua la veste ornée d'un seul point et de l'emblème

planétaire.
La voix de la jeune fille était claire et distincte.

— *Bonjour Habitants du Globe.*
Je me présente à vous aujourd'hui, élue par nos Élites à l'unanimité, pour être la gardienne de nos valeurs et de notre destinée.

Il sera de mon devoir de protéger le legs de sauvegarde que Jellane et Klara Grenier ont laissé. Je leur promets, tout autant qu'à vous, d'œuvrer chaque jour pour que l'humanité puisse survivre et connaisse enfin la félicité.

Vous le savez, nos travaux sur l'Osbern avancent, il nous reste les derniers calculs à ajuster afin qu'aucune erreur n'intervienne car nous n'aurons pas de seconde chance. Le danger se fait de plus en plus menaçant. Nous le ressentons énormément de ce coté-ci de la planète. Les zones froides commencent à dégeler, mais l'atmosphère dans certaines régions est encore impure.

Le virus est toujours présent, il continue chaque jour à faire de très grands dégâts au sein de notre population. Nous n'avons pas encore trouvé de vaccin, nous nous y employons sans relâche.

Je continuerai l'idéologie de Jellane et de Klara. Nous resterons unis sous une même bannière, nous ne nous diviserons pas à travers d'autres dialectes. La même langue universelle reste un facteur primordial pour l'harmonie de nos régions.

Elle marqua une pause, fronça les sourcils et continua. Le ton était plus dur.

J'ai remarqué à mon arrivée ici, un attroupement de plus de deux cents personnes aux abords de la Grande Cité.

Ils se dirigent en ce moment même vers le Grand Labo. Ils sont libres de leur mouvement, s'ils ne compromettent en aucune façon la sécurité d'autrui. Leur revendication peut paraître légitime, sachez néanmoins, que les anciens se sont laissés berner par des légendes, des histoires, (elle faillit dire religion, mais elle savait que personne n'en aurait saisi le sens). *Ce fut en partie leurs croyances à différents contes, chacun voulant affirmer qu'il avait raison, que la légende d'un autre n'était que mensonge, qui furent la cause de leurs nombreuses guerres et fléaux.*

Ces mensonges ont alimenté le fantasme de nombre d'humains, utilisés

148

pour semer la terreur, asseoir un pouvoir et asservir des peuples.

Les hérétiques étaient persécutés et assassinés sans scrupule. Ces mensonges ont détruit une majeure partie de l'humanité, de la planète et des êtres vivants. Aussi, je m'adresse à ces "pro-légendes", et je leur demande avec ferveur, de cesser leur manifestation.

Nous ne nous retournerons jamais dans les croyances de nos ancêtres, nous avons tout oublié de celles-ci, nous ne nous diviserons plus jamais à cause d'elles. Nous devons cesser de regarder les ruines laissées, nous devons regarder devant et reconstruire notre monde.

Je vous remercie de votre attention.

L'image disparut.

Luciane avait fini son discours. Elle entendit l'AGENCE et les membres de son équipe l'applaudirent.

Maître Duracq s'avança vers elle et lui prit les mains avec tendresse.

— Bienvenue parmi nous, dit-il simplement.

Jeffran se précipita dans l'aéro-car qui stationnait devant la maison.

Il voulait arriver au plus vite au Grand Labo, rejoindre Luciane.

Il la sentait confusément en danger. Il se raisonna.

— Il ne peut rien lui arriver, elle est dans le Grand Labo, Igor veille sur elle, et saura détecter une menace éventuelle, et autour d'elle il y a l'AGENCE et toute l'équipe de chercheurs. Je me fais des idées.

Mais l'angoisse le tenait comme un étau. Il regardait le paysage devenu à présent familier, défiler à travers le hublot.

Luciane profita de quelques secondes de liberté. Elle s'était réfugiée dans la salle de rafraîchissement. La sueur perlait à son front.

— Igor, préviens l'AGENCE, dis-leur que je rentre chez moi, Jeffran m'y attend.

Elle sortit du Grand Labo, programma son adresse dans l'aéro-car, le fit démarrer. L'engin s'élança rapidement. Elle le suivit des yeux quelques instants, et enfin, lorsqu'il s'effaça complètement de sa vue, elle s'éloigna d'un pas rapide.

Les manifestants semblaient pour l'heure s'être dispersés.

Elle entra dans le jardin des fleurs-fées, mit ses lunettes de protection et admira l'azur.

Il ne devait plus tarder à présent.

Il avait pris contact la veille, Carmen lui avait passé en toute discrétion la transmission, comme elle le lui avait ordonné.

Il souhaitait avancer l'heure du rendez-vous. Elle accepta.

Elle était curieuse de le retrouver après tant d'années. Avait-il changé ? Qu'avait-il découvert ? Et ses parents comment allaient-ils ?

Elle le vit apparaître au loin. Il semblait plus robuste. Quand il arriva à sa hauteur, elle détailla sa carrure. Ses épaules s'étaient élargies, il avait pris une bonne vingtaine de centimètres, ses cheveux blonds étaient coupés très courts, beaucoup plus courts que sur l'enregistrement, il arborait toujours ce sourire flatteur. Jeffran lui en voudrait certainement de lui avoir fait faux bond, elle jugea que cette rencontre ne le concernait pas.

— Bonjour Luciane, je suis heureux de te revoir.

— Bonjour Rymon. Je le suis aussi, mais hélas je n'ai que très peu de temps. Explique-moi.

Il fit mine de ne pas relever l'impatience de son amie d'enfance.

— Félicitation pour ton élection. Ton discours était de circonstance.

Elle sentit une pointe d'ironie. De mépris ?

Luciane observa le regard du jeune homme.

Ses yeux lançaient des éclats d'acier. Elle remarqua le léger froncement de sourcil. Rymon avait cette petite manie lorsque quelque chose le contrariait.

Elle regretta soudain que Jeffran ne soit pas là. Elle vérifia instinctivement si son communicateur était bien sa poche.

— Que se passe-t-il ? demanda-t-elle.

— Mes parents avaient raison, l'AGENCE nous a caché bien des choses, à présent il est de ton ressort de tout expliquer.

— Expliquer quoi ? À qui ? Je ne comprends rien Rymon, essaie d'être plus clair. Je n'ai pas de temps à perdre.

— Tu as changé Luciane, tu as perdu ton insouciance.

— Mon insouciance ? Tu as idée du danger qui nous menace ? Où tu penses que c'est un plan d'un Dieu quelconque.

Elle se mordit la lèvre.

— Tu es au courant n'est-ce pas ? Des anciennes religions, il existe un Dieu, Luciane, j'ai vu les preuves dans la zone froide.

Elle s'emporta.

— Tu es complètement idiot. As-tu seulement conscience de ce que ces croyances ont eu comme conséquences néfastes sur les anciens. Ils se sont entre-tués. Et à présent que la planète est pratiquement détruite, nous nous devons de reconstruire un monde pur.

— Pur ? Parce que tu es la petite-fille de Jellane et la fille de Klara tu crois avoir ce privilège ? Leur monde est un monde utopique. Il est inconcevable de ne pas vivre avec un espoir, une foi. Elles ont retiré de nos leçons toutes les légendes, tous les contes. Les contes étaient un plaisir pour les enfants, ils développaient l'imaginaire, ils décelaient le bien du mal. Ils reliaient le plaisir et la peur, ils assimilaient l'ombre et la lumière que chacun de nous possède naturellement. Ils s'insinuaient dans l'intime de l'être et de la conscience, favorisaient l'imaginaire, et mettaient des mots sur des émotions.

— Et plus tard des armes dans leurs mains. Les enfants de notre époque ne connaissent rien de ces récits, et ils sont quand même épanouis. Ce seront des adultes responsables.

— Vous les formater !

— Non ! Nous développons au contraire l'individualité et les capacités de chacun.

— Écoute, reprit Rymon, suis-moi là-bas !

— Tu es fou ! Dans les zones froides ? Je ne peux pas, ma mission ici est trop importante.

— Elle est vouée à l'échec. Tu ne peux rien contre le jugement dernier !

— Tu es vraiment devenu fou, Rymon, répéta-t-elle. Il est préférable que je m'en aille.

Elle tourna les talons.

Il la rattrapa, agrippa son bras.

— Non, dit-il. Tu n'iras nulle part ailleurs que dans la zone froide.

Il sortit une bombe de gaz soporifique de sa poche, elle appuya sur une touche de son communicateur, respira, et un trou noir l'envahit.

Rymon la prit sur ses épaules, traversa rapidement le jardin des fées, engouffra la jeune fille dans l'aéro-car garé non loin de là. Le véhicule prit de la hauteur et s'éloigna rapidement au-delà de la Grande Cité.

— Tu ne me laisses pas le choix, mon amie, murmura-t-il en lui liant les mains et en la bâillonnant.

CHAPITRE 49 : an 2066

Luciane entendit comme un ronflement. Son corps était en mouvement. Elle reprenait peu à peu ses esprits. Elle identifia le bruit. Des rotors. Elle était à bord d'un hélicoptère. Ces aéronefs que les anciens utilisaient avant la Grande Guerre. Il en restait peu, et n'étaient pratiquement plus utilisés. Le kérosène qui leur servait de carburant était presque épuisé. Elle voulut se lever. Ses poignets étaient attachés. Elle savait où Rymon l'emmenait. Dans les zones froides. Elle n'y avait jamais été.

— Je ne suis pas vêtue pour ce climat.

Elle jugea sa pensée saugrenue.

Elle n'avait pas peur. La jeune femme était persuadée que son ami d'enfance ne lui ferait aucun mal.

Elle craignait beaucoup plus pour le retard que prenait la mission.

Jeffran entra dans la grande salle d'audience. Les Élites, les membres du Grand Laboratoire y étaient réunis. Il chercha des yeux la silhouette de sa collaboratrice.

Maître Duracq venait à sa rencontre.

Jeffran ressentit soudain une violente douleur à la cage thoracique.

Le Maître-Soigneur arriva à sa hauteur juste à temps pour le soutenir.

— Que vous arrive-t-il ?

— Je ne sais pas. C'est passé.

— Voulez-vous que je vous ausculte ? Vous commencez à m'inquiéter sérieusement jeune homme !

— Non, non, tout va bien. Où est Luciane ? Son discours était parfait.

— Elle se dirigeait vers la salle de rafraîchissement la dernière fois où je l'ai aperçue.

Jeffran était déjà parti dans la direction indiquée, Maître Duracq sur ses talons.

— Je vais rester près de vous quelque temps, je veux m'assurer que vous alliez bien.

Ils trouvèrent la salle de rafraîchissement vide.

Le vieil homme fronça les sourcils.

— Igor, demanda-t-il, sais-tu où est Luciane ?

— Elle m'a fait part de son désir de rentrer pour retrouver Jeffran.

— Vous l'avez croisée ? demanda le soigneur.

— Je n'ai rencontré personne. Où est-elle ? Igor demande à Carmen si Luciane est chez elle !

— Carmen me répond par la négative. L'aéro-car de Luciane est arrivé vide.

Jeffran passa la main dans ses cheveux. Il venait de comprendre. Elle était partie seule au rendez-vous. Il en était irrité, vexé et contrarié. Il éprouvait toujours ce maudit pressentiment.

Son communicateur vibra. Il le sortit de sa poche. Scruta l'écran.

En observant le physicien, le guérisseur flaira un problème.

— Luciane annonça Jeffran d'une voix blanche, elle a actionné sa balise.

— Igor réunion d'urgence dans trois minutes. Seulement l'AGENCE, et vous aussi Jeffran. Et veille à ce que rien ne s'ébruite.

Les membres arrivèrent précipitamment. Une réunion dans la salle de rafraîchissement était, on ne peut plus, étrange.

Le Maître-Soigneur relata l'incident.

Jeffran avoua le rendez-vous secret émis par Rymon.

— Je suis persuadée que Luciane voulait s'y rendre seule, dit-il exaspéré.

— Vous savez, Rymon était son ami d'enfance. Ils étaient inséparables. Elle désirait certainement préserver l'intimité de leurs retrouvailles, supposa Maître Andria d'une voix douce.

La colère et l'anxiété du chercheur étaient palpables.

Maître Bernin qui se tenait en retrait, fit quelques pas. Il se frottait le menton.

— Nous allons activer la puce de Luciane Grenier, décréta-t-il. Nous n'avons pas le choix. Nous devons savoir où elle se trouve. J'ai moi aussi un très mauvais ressenti quant à cette affaire. Elle n'a pas activé sa balise par hasard, et nous ne savons pas si elle est encore en possession de son communicateur.

— Sa puce ?

Jeffran regarda tour à tour les membres de l'AGENCE.

— Asseyez-vous lui intima la Maître-Diplomate. Nous comptons sur votre discrétion.

Il hocha la tête d'un signe d'assentiment. Il écouta, interdit, la confidence d'Andria.

— Nous avons gardé très peu de chose des techniques des anciens. Klara a trié le bon grain de l'ivraie comme elle disait. Il y avait encore des traîtres alors qu'elle mettait en place le nouveau gouvernement. Pour juguler les enlèvements des membres de son parti, elle leur fit injecter une puce microscopique en chacun d'eux. Ainsi, si un membre du parti disparaissait, on pouvait le retrouver en activant cet implant électronique en déterminant la position exacte. Nous avons poursuivi cette opération espérant ne jamais l'utiliser. Seule l'AGENCE, les chercheurs du Grand Labo, jusqu'au troisième grade en sont dotés.

— Ce qui signifie que moi aussi j'en ai une ? Vous pouvez suivre ma trace partout où je vais ? Et ce fameux libre arbitre et liberté individuelle dont on nous claironne les principes depuis les premiers cours ?

— Je suis désolé, murmura Maître Bernin. Vous savez nul gouvernement n'est parfait. Mais nous avions jugé que cela pouvait être nécessaire. Nous n'avons jamais utilisé cet, heu, avantage. Mais en la circonstance nous n'avons pas d'autre choix. Vous avez senti Luciane Grenier en danger. Vous êtes très proches, nous suivons votre instinct.

Jeffran se renfrogna.

Quels secrets allait-il encore apprendre prochainement ? Depuis sa rencontre avec Luciane, pas une seule journée ne se passait sans qu'une nouvelle information ne lui parvienne.

Il finit par obtempérer.

— Comment l'active-t-on ?

Les membres de l'Agence se regardèrent soulagés.

Maître Andria s'éclaircit la gorge. Elle marqua une légère pause et ordonna d'une voix ferme.

— Igor, code position 12.

Une image se projeta sur le mur. Latitude, longitude, altitude. Jeffran reconnut les coordonnées.

— Elle est en zone froide, déclara-t-il.

Les mains attachées, Luciane se contorsionna afin de vérifier la présence de son communicateur dans sa poche. Elle ignorait si elle l'avait encore. Elle avait eu le temps d'activer sa balise de détresse, le message étant adressé à Jeffran. Elle avait confiance en son homologue. Elle espérait qu'il prendrait la tête de la mission durant son absence.

Elle frissonna. La température avait chuté, elle jeta un œil au travers le hublot de l'appareil. De lourds nuages gris courraient dans un ciel pâle. Des flocons épars tombaient. De la neige, pensa-t-elle. Elle n'en avait jamais vu et détesta immédiatement cette lugubre météo.

L'hélicoptère amorça une descente rapide. Elle se cramponna tant bien que mal.

Le bruit était assourdissant.

Puis soudain ce fut le silence. Rymon ouvrit la porte de l'aéronef et la força à se relever.

— Viens, ordonna-t-il, une tempête de neige arrive. Nous devons nous abriter au refuge.

Ses pas s'enfonçaient dans la poudreuse. Ils étaient gelés. Elle n'avait jamais ressenti ce froid intense qui transperçait la peau comme des aiguilles, chaque rafale de vent était comme des coups de couteau, elle voyait la pointe de ses cheveux se cristalliser. Ses yeux brûlaient, elle cligna plusieurs fois des paupières. Rymon était couvert de la tête aux pieds. Il n'avait aucun scrupule à entraîner la jeune femme au milieu de ce froid à peine vêtue. En était-il seulement conscient ? Elle n'osait proférer un seul mot. De toute façon, la force du vent, le bruit des rafales l'en empêchaient. Elle glissa, Rymon la souleva, mais la douleur qu'elle ressentit alors à la cheville était fulgurante. Elle poussa un cri.

Son compagnon le remarqua.

— Tu as dû te fouler la cheville. Sautille d'un pied, je vais te soutenir.

Le refuge, une maison de pierre grise et noire, se détacha.

— Cinquante mètres et nous y sommes.

Luciane avait mal, froid. Elle se laissa porter, vide de toute énergie.

CHAPITRE 50 : an 2066

Les poings serrés dans les poches de sa veste, il fulminait intérieurement.

— Jeffran, rentrez chez vous, avait suggéré Maître Andria. Nous vous informerons par communicateur de notre décision. Nous ne pouvons pas agir sans réfléchir.

— Vous me semblez fatigué, Maître Andria a raison intervint le soigneur. Je passerai vous voir. Et le programme doit continuer, c'est inévitable.

L'AGENCE l'avait tout bonnement écarté de leur décision. Il s'inquiétait pour Luciane. Qu'attendaient-ils pour la secourir ?

Il longeait les couloirs en direction de la sortie basse du Grand Laboratoire.

Il entendit des pas pressés derrière lui, se retourna et aperçut Jeanne. Elle l'interpella.

— Bonjour Jeffran ! Savez-vous où se trouve Luciane ?

— Pas vraiment non. Igor ne vous a pas fait de compte rendu ?

— Non, il aurait dû ?

— Je pense, et cela ne saura tarder. Je vous prie de bien vouloir m'excuser Jeanne, mais je suis tenu par le temps.

Il reprit la direction de la sortie, Jeanne le rattrapa.

— Que se passe-t-il ? Vous me semblez étrange.

— Étrange ? Vous avez trouvé le mot exact, ma chère Jeanne, dit-il dans un rire nerveux, oui, tout est étrange.

Jeanne resta clouée sur place, abasourdie.

Dès qu'il fut à l'extérieur, la chaleur le fit suffoquer.

— Je ne m'y habituerai pas, maugréa-t-il.

D'un caractère enjoué et plaisantin, il n'était jamais de mauvaise humeur.

Cela le chagrinait d'être ainsi envahi par de sombres pensées.

Sa promenade l'avait emmenée presque malgré lui, au jardin des fleurs-fées. Il arpenta les allées odorantes, ajusta ses lunettes de protection et leva les yeux vers le ciel. Le temps allait véritablement manquer à leur mission. Il en prit pleinement conscience, et son anxiété s'alourdit plus encore. Il s'assit sur un banc. Il revoyait leur promenade initiale, quand elle lui avait fait découvrir l'ampleur de l'urgence pour la première fois.

Il revoyait le visage de Luciane se pencher sur une fleur ici et là et en savourer le parfum.

Il revoyait son sourire, ses yeux vert émeraude, il repensa à leur baiser.

CHAPITRE 51 - temps d'avant 1
3ème vision de Jeffran

Le vieil homme aux cheveux blancs regardait avec tendresse le jeune adolescent assis près de lui.

— Il n'est point sérieux de te révolter. Ton père était un héros. Il a choisi de protéger le clan de son épouse. Cette guerre, il ne l'avait pas voulue. Il a tenté maintes approches de conciliation, mais ces barbares ne voulaient rien entendre. Yelrich était un guerrier, mais c'était aussi mon fils. Il n'a pas voulu recevoir mes dons, alors je te les confierai un jour, car ton destin est lié à l'humanité. Il te faut quitter cette terre, traverser cette montagne. Sais-tu pourquoi les gens la nomment le Mont Chérum ? J'y suis né, j'y ai vécu mon enfance et reçu mes dons. J'ai guéri bien des populations là-bas. J'ai fait venir la pluie quand il le fallait, le soleil pour faire grandir leurs récoltes, je les ai protégés de l'hiver glacial, mais un jour, ils m'ont rejeté. Je me suis laissé aller à une stupide vengeance et j'ai déchaîné sur leurs habitations les pires éléments. Ils me haïssent depuis, me maudissent, me craignent.
J'ai appris la sagesse depuis ces longues années, mais les gens n'ont pas oublié leur rancune et leur peur.
Je crois que par ses actes de bravoure, Yelrich cherchait à réhabiliter mon honneur.

Le jeune garçon serrait les poings sur ses genoux. Il chassait régulièrement les cheveux noirs que le vent faisait danser devant ses yeux.

Le regard azur fixait un point à l'horizon.

— Tu partiras demain, il te faudra apprendre une multitude d'arts. Là où je t'envoie, tu apprendras la musique, le chant, tu apprendras l'art de la lecture et de l'écriture. Xi Chen t'apprendra son art de défense. Il te procurera sa philosophie de vie et sa sagesse ancestrale. Tu rencontreras ensuite quand ta formation première sera terminée, le barde Simon. Il t'apprendra son métier, et t'intronisera dans le cercle de troubadours du pays. Tu iras ensuite dans cette contrée, ou enfin commencera ta destinée.

Rostiline, ma cousine te guidera au travers de ton périple. Elle prendra soin de toi, Mirata sa sœur aînée, tu ne la rencontreras que plus tard. Elle se méfiera de toi. Mais n'aies crainte, elle se ralliera à ta cause quand le grand destructeur arrivera.

Aujourd'hui je vais t'offrir trois de mes dons. Et ce bracelet sera le porteur de ces dons. Si tu le quittes ou le perds, ces qualités t'abandonneront.

Chérum prit le poignet de son petit-fils et attacha le bijou argent.

Ce dernier regarda l'étrange motif.

— Ce motif est l'Awen. Il désigne l'inspiration du barde, en sa présence tu es connecté avec l'univers. Je te donne donc trois dons. Tu auras la capacité d'apprentissage, tu auras le don de soulager les douleurs de l'âme et du corps, plus tard je t'octroierai celui de guérison, et tu auras le don de l'intuition.

Trois dons comme ses trois points qui partent chacun par un rayon vers l'univers. Adieu Erwin, nous nous reverrons dans quelques années.

CHAPITRE 52 : an 2066

Jeffran se releva la tête lourde. Il était allongé sur le banc.
Il retrouva ses esprits rapidement.
Il venait d'être sujet une nouvelle fois à une vision.
Luciane lui avait décrit ces étranges motifs sur le bracelet.
Il avait vu Erwin plus jeune, il avait vu Chérum. Jeffran ressentit
une immense frustration. Il voulait partager cette information avec
la jeune scientifique. Elle lui manquait considérablement.
Il sortit du jardin, et prit les rues tant de fois arpentées auprès de
Luciane. Il passa devant le déjeuneur chez qui ils allaient
régulièrement pour leur pause le midi, jusqu'au jour elle où elle avait
inventé cette stupide histoire de sœur. À présent, il comprenait sa
collègue. Ses flashs récurrents étaient épuisants, perturbants et
angoissants.

Il arriva enfin à son appartement. Il prit un carnet, un stylo, il
sourit en lui-même. Si Luciane était présente, elle lui rirait au nez le
traitant de type archaïque. Mais c'était sa façon à lui d'analyser, et
surtout il fallait que cela reste secret. Comment l'AGENCE
réagirait-elle, si elle apprenait que les deux scientifiques, chargés de
sauver l'humanité, étaient en proie à des hallucinations ? Elle les
destituerait du projet, et Luciane qui œuvrait depuis des années pour
cette cause serait anéantie.
Il prit son communicateur et composa le numéro du domicile

de Luciane.

Carmen lui répondit aussitôt.

— Bonjour Jeffran. Tu as oublié ton ordinateur, il serait judicieux que tu viennes le récupérer.

Il comprit le message codé de l'ordinateur.

Carmen avait des révélations à lui faire, et préférait pour cela lui en faire part en privé.

— Je serai là dans deux heures, Carmen. Je vais me doucher et me reposer un peu.

Se doucher oui, il avait besoin de se rafraîchir, de se nettoyer de cette nervosité. Reposer non, il n'en avait pas le temps. Mais comme il le supposait, si l'AGENCE écoutait sa conversation, voilà qui la rassurera.

Il sursauta alors que son communicateur de porte vibra.

Maître Duracq entra, le regarda, inquiet.

— Comment vous sentez-vous Jeffran ?

— Bien, mentit l'astrophysicien. J'allais prendre une douche avant de me reposer une petite heure.

— Parfait ! approuva le Maître-Soigneur. Vous m'inquiétez depuis ces derniers jours. Vos malaises ne semblent pas anodins.

Jeffran dévisagea l'Élite assis en face de lui plusieurs secondes.

Il décelait beaucoup de générosité dans le regard de cet homme, une bienveillance innée. Il eut soudain envie de tout lui confier, de se débarrasser de ce fardeau, de partager ses interrogations. Il se retint.

— Jeffran, ceci n'est pas seulement une visite de courtoisie.

Il marqua une pause, semblant chercher ses mots.

Jeffran ne dit rien. Le soigneur était là pour lui annoncer leur décision.

— Vous êtes venu de la Grande Université au Grand Labo par transmolécules, n'est-ce pas ?

— Oui, en effet.

— Je me demandais si vos malaises étaient des effets secondaires.

— Je ne pense pas, répliqua Jeffran. Je vous en prie Maître Duracq, venez-en au fait, dit-il agacé.

— Lorsque vous avez quitté l'Autre Côté pour aller à

l'Université, vous avez voyagé en supergliss, n'est-ce pas ? Traverser une mer gelée avec ce genre d'embarcation n'est pas envisageable. Dans la zone froide, il n'y a pas de récepteur pour la transmolécule. Les aéro-cars ne vont pas non plus jusque-là. Le seul moyen d'être acheminé à cette partie du globe reste l'hélicoptère. Il n'en reste qu'un. Il est en piteux état. Le carburant à notre disposition est très faible. Juste pour un aller-retour. Maître Bernin a vu vos notes. Il est persuadé que vos dernières analyses et hypothèses sont perspicaces. Il veut vous soutenir dans cette voie. Pour cette raison Jeffran, et parce que vous seul pouvez ramener Luciane, nous connaissons vos excellentes aptitudes aux sports de défense, votre intelligence, votre sens de l'analyse aiguisée. Oui Jeffran, nous avons pris la décision de vous envoyer dans la zone froide.

Le jeune homme se releva subitement. Il en aurait sauté de joie, failli même prendre le soigneur par le cou et l'embrasser.
Aussi rapidement que l'enthousiasme était apparu, il retomba comme un soufflet.
— Quand ? Combien de temps pour réparer l'hélicoptère ?
— Demain matin il sera prêt. L'équipe mécanique est déjà au travail. Désormais chaque heure compte.
— Je ne sais pas conduire cet engin.
— Vous aurez toute la nuit pour apprendre en simulation lui répondit l'Élite dans un sourire.
— Pardon ? Vous êtes devenu fou ? Une nuit pour apprendre à piloter ?
— Nous n'avons pas le choix. Vous désirez y aller oui ou non ?
— Bien sûr, évidemment, c'est évident, mâchonna Jeffran sonné.
— Nous connaissons aussi votre facilité d'apprentissage jeune homme. Jellane et Klara vous ont cherché sur tout le globe. Ne les décevez pas.
— Pardon ? M'ont cherché ?
— Certaines choses ne doivent pas vous être dévoilées pour le moment. Soyez patient. Allez sauver Luciane. Et sauver l'humanité. Prenez soin de vous, jeune homme, la survie de notre

planète est entre vos mains.

Maître Duracq prit congé sur ces mots.

Jeffran resta de très longues minutes, affalé sur le siège en rotin. Les yeux dans le vide, la bouche entre ouverte, il n'arrivait ni à bouger, ni à réfléchir. Hébété.

CHAPITRE 53 : an 2066

— Entre Jeffran. Igor m'a informé des derniers événements. Je voulais te faire part en privé de mes recherches. J'ai synthétisé au mieux, sachant que tu manquais de temps. J'ai repris les comptes rendus de vos visions. J'ai recherché les époques entre 100 et 1 000 comme tu me l'as suggéré. J'ai pu définir l'année exacte de vos visions.

— Quoi ! Mais c'est extraordinaire, si tu n'étais pas virtuelle je t'embrasserais !

Carmen fit entendre un léger grésillement.

— Vos flashs semblent se produire en 775.

— 775 ? Qu'y a-t-il eu de particulier à cette époque Carmen ?

— C'était effectivement un revirement important religieux, le début de l'inquisition, mais il y eut un événement marquant, qui je pense va titiller le cosmologue que tu es.

— Le temps m'est compté Carmen, abrège s'il te plaît.

— En 775, il y eut une éruption solaire. Quatre arbres en portent les stigmates. Je n'ai pas pu les localiser, les archives ont été anéanties. Tu trouveras dans ton ordinateur la carte du ciel de cette année-là. Je l'ai superposée à celle de notre époque. Et je pense que tu avais raison. Dans la zone froide, il y fait très froid. J'ai donné la liste à Igor pour que tout un équipement te soit fourni, sans rien omettre.

166

Un silence se fit. Jeffran assimilait ces nouvelles données.

— Et ce n'est pas tout, reprit la voix numérique.

— Je t'écoute.

— J'ai découvert qu'à cette époque il y avait bien un barde nommé Erwin le Hucrem. Quelques traces de ses passages à la cour des nobles. Je n'ai découvert ni sa date de naissance ni celle de son décès. Quelques-uns de ses poèmes, qui parlent de l'amour, d'une beauté vénitienne.

J'ai trouvé une faible trace d'un sieur de Vallois, mais demoiselle Alvina n'apparaît pas dans les archives historiques.

— Crois-tu que ces personnages et tout ce que nous voyons aient réellement existé ?

— L'ordinateur pragmatique que je suis te répond : aucune réponse ne peut être fournie à cette énigme.

CHAPITRE 54 : an 2066

Luciane sortit de sa torpeur. Elle entendait des chuchotements. Elle ne percevait rien de la conversation qui avait lieu derrière la paroi. Il lui semblait distinguer la voix d'une femme. Elle était étendue dans un lit, un chauffage d'appoint dans un coin. On lui avait changé ses vêtements. Elle portait une tunique blanche d'un coton doux et confortable. Elle n'avait aucun souvenir depuis son malaise dans la neige. Elle voulut se lever. En posant le pied sur le parquet, une violente douleur la persuada du contraire. Elle regarda sa cheville. On l'avait bandée. Elle attrapa le chevet à ses côtés, le tira devant elle et y prit appui pour s'agenouiller. Elle traversa la pièce à peine éclairée jusqu'à la porte. La douleur était violente. Elle grimaça tout en essayant de s'asseoir sur la petite table. Quand elle y fut enfin parvenue, elle fit tourner la poignée de porte. En vain. Elle la secoua vivement, et sentit monter en elle un mélange de peur, de lassitude et d'impatience.

Elle tambourina à la porte

— Rymon, ouvre-moi ! cria-t-elle. Tu n'as pas le droit de me tenir enfermée ici. Ouvre-moi et laisse-moi repartir !

Des larmes coulèrent le long de ses joues. Elles les chassèrent d'un geste rageur.

Elle entendit des pas s'approcher, le bruit d'une clef introduite dans la serrure, elle recula tandis que la porte s'ouvrait.

— Bonjour Luciane. Je suis soulagée que tu sois enfin réveillée. Comment te sens-tu ? Ta cheville ne te fait-elle pas trop souffrir ?

La Première Élite considéra la femme à l'allure chétive, qui se tenait devant elle. Comme elle avait changé, s'étonna-t-elle.

— Madame Nilsen ! Où est Rymon ? Pourquoi m'enfermer ?

— Je suis là mon amie !

Luciane serra les poings. L'entendre l'appeler ainsi, déceler ce ton mielleux et délibérément hypocrite, la mit hors d'elle. Elle s'élança vers lui, oubliant la souffrance, le rua de coups de poing. L'agro-géologue resta impassible. Épuisée, elle s'effondra.
Ses ravisseurs portèrent la jeune femme jusqu'au lit.

— Mère, prends soin de sa cheville ! Je reviendrai la voir plus tard.

Luciane n'avait jamais ressenti cette hargne, elle avait toujours su contrôler ses émotions. Elle analysa ce qu'elle ressentait, pour comprendre.

— Le surmenage de ces dernières semaines. Probablement, supposa-t-elle.

Elle porta son attention vers la vieille femme. Le teint était blafard, les cheveux grisonnants, Sara Nilsen avait perdu une bonne vingtaine de kilos. Ses yeux noirs étaient empreints d'une profonde tristesse.

— Où est Claudius ? demanda-t-elle.

— Je te fais un cataplasme de feuilles de chou. Garde-le jusqu'à demain matin. Claudius est mort. Rymon viendra te voir plus tard pour t'apporter un repas.

— Comment ? Comment est-il décédé ?

— Le virus.

— Le virus ?

Sa curiosité de scientifique se ranima.

— Ici dans la zone froide ? Il survit donc à des températures extrêmes.

Elle nota cette information dans un coin de sa mémoire.

— Tu dois le croire, reprit Sara.

— Croire qui ? Quoi ?

— Rymon. Tu dois le croire. Nous avons trouvé des preuves.

Des anciens bâtiments, une bibliothèque où des livres sont parfaitement conservés, des lieux de cultes.

— Rien de tout cela n'est une preuve. Ce ne sont que les preuves de la destruction d'une majeure partie de l'humanité. Des choux ?

— Pardon ?

— Un cataplasme de chou ? Vous avez des choux ici ?

— Oui, et d'autres légumes. Rymon a tenu sa promesse. Il a rendu fertile une partie de la zone froide.

— Comment ! s'exclama Luciane. Pourquoi l'AGENCE n'est pas au courant ?

— Nous n'avons plus confiance en l'AGENCE. Personne n'a le droit de nous insuffler notre ligne de pensées, d'annihiler nos croyances. L'AGENCE avait promis de vaincre le virus, lança Sara d'un ton amer.

— Maître Duracq y travaille sans relâche !

— Rymon viendra plus tard.

Sara quitta la chambre. Luciane ferma les yeux. Comment ont-ils pu changer à ce point ?

Elle serra son pendentif dans la main. Elle avait l'impression qu'il palpitait. Elle pensa à Jeffran.

CHAPITRE 55 - temps d'avant 1
23ème *vision de Luciane*

— Messire Erwin ? Que vous faites-vous là ? Où est Mirata ?

— Alvina ! Quel soulagement de vous voir enfin réveillée ! Le mal d'hiver vous a tenu plus de quatre jours souffrante et fébrile. La fièvre ne baissait pas. Mirata vous a veillée jour et nuit, relayée parfois de Noria et de votre oncle Sieur Gustin. Yvonic, à vos côtés quelques heures, a prié longuement son Dieu. Mirata et Noria sont présentement au marché pour y quérir quelques plantes pour de nouvelles tisanes. Sieur Gustin fait ses adieux à son beau-frère. Nul dans ce manoir ne désirait vous savoir seule. Votre gouvernante m'a prié de rester à votre chevet. Je vais remplir cette cruche d'eau fraîche.

— Merci Erwin, souffla la jeune fille souriant faiblement.

Dans le couloir, il croisa Sieur Gustin.

— Yvonic est parti. Il s'efforcera de retarder Carlos de Franga et ses hommes de deux ou trois semaines. Il nous fera parvenir un message. Comment va-t-elle ?

— Votre nièce est réveillée. Quelle ruse va-t-il utiliser ?

— Quel allégement ! Je viendrai la visiter avant le dîner. Son chemin croisera le leur. Il leur indiquera une direction plus à l'Est. Rostiline se jouera de saison. Un peu de brume, un peu d'orage, de la grêle. Nous devons les retarder à tout prix. Vous avez très peu de temps, mon jeune ami. Firmin est mon fils certes, je lui souhaite d'être heureux, mais qu'est le bonheur d'un seul homme devant toute l'humanité ?

Ressassant ces derniers mots, Erwin retrouva Alvina. Elle fit mine de se redresser. Une grimace déforma ses traits.

— Attendez, je vais vous aider. Vous souffrez ?

— Une migraine, elle s'atténuera.

Le troubadour apposa une main sur le front en sueur. Quelques instants plus tard, la douleur avait disparu.

— Qu'avez-vous fait ? Je n'ai plus aucune souffrance. Je me sens fatiguée, mais aucun mal ne me tourmente à présent.

Le troubadour resta muet.

— Puis-je vous aider à vous asseoir ?

Il s'approcha, leurs visages séparés par quelques centimètres, leurs regards s'accrochèrent. Il la tint par les épaules, doucement. Vêtue d'une simple nuisette en coton, elle ressentit vivement le bref contact physique. Les yeux du ménestrel prenaient à nouveau cette couleur d'océan en furie. Elle détourna le regard. Elle vit le bracelet qu'il portait au poignet.

— Quelle est l'origine de ce symbole ?

— Ce bijou m'a été offert par mon grand-père. Il représente l'Awen, le symbole des bardes.

— Vous possédez un don, n'est-ce pas ?

— Je ne puis vous mentir, mon amie, en effet, lorsque mon grand-père m'a offert ce bracelet, il m'a légué le don de soulager les douleurs.

— Trois points trois dons, n'est-ce pas ? Quels sont les deux autres ?

— Celui de l'intuition, et de l'apprentissage.

— Et que dit votre intuition Erwin ? demanda-t-elle dans un sourire espiègle.

Il observa la jeune fille alitée.

Les cheveux humides en désordre, le teint pâle, les yeux cernés, les lèvres sèches et gercées, il la trouva néanmoins radieuse.

Les yeux d'Erwin lancèrent des éclairs.

— Ne jouez pas Alvina !

— Ne voyez là aucun jeu, Messire. Je désirai savoir.

Elle laissa sa phrase en suspens.

— Que voulez-vous savoir ? Quels sont vos tourments ? Vous les connaissez, mais les ignorez, vous refusez de les considérer. Votre peur aveugle votre lucidité et votre cœur.

— Je suis fiancée, Erwin, les noces auront lieu au printemps. Auriez-vous donc oublié cela Messire ?

— Et vous Alvina, vous vous oubliez vous-même.

CHAPITRE 56 : an 2066

Jeffran tenait les commandes de l'hélicoptère et amorçait une descente. Il avait passé la majeure partie de la nuit sur le simulateur.

Très vite, il avait acquis un maximum de connaissances quant au pilotage d'un tel engin. Il se posa aux abords de la zone froide. Il profita de cet arrêt pour se changer et enfila des vêtements plus chauds. Il grignota un bout de sandwichs. Absorbé par ses pensées, il remarqua à peine le paysage qui s'offrait à lui.

Des sapins écartés les uns des autres, tenaient fièrement leurs pauvres épines. Jadis vertes, elles étaient à présent grises, transformées par les radiations de la guerre des anciens. Des montagnes escarpées se dessinaient au loin. Les monts enneigés laissaient deviner le froid qui y régnait. Pas un cri d'oiseaux, aucune empreinte d'animaux dans la terre gelée. Tout n'était que silence glacial.

Il remonta dans l'appareil. Il examina la carte. Les coordonnées s'affichèrent. L'implant de Luciane le conduisait vers elle. Il était impatient de la retrouver, de lui raconter ces dernières découvertes, de la sauver de ce froid, de cet individu étrange qu'était Rymon Nilsen. De la prendre dans ses bras, de l'embrasser.

Le compteur affichait la distance et le temps approximatif restant. Une heure. Dans une heure, il la retrouvera. Il avait essayé de la joindre sur son communicateur. En vain. Elle ne devait pas l'avoir sur elle.

CHAPITRE 57 : an 2066

Rymon entra dans la chambre. Luciane le toisa.

— Il faut que tu me croies, lança-t-il. Demain, je te ferai découvrir tous ces endroits. La bibliothèque, des livres anciens extraordinaires, des églises, je te ferai écouter des chansons, je te montrerai des films. Les cubes-livres de l'AGENCE ne les possèdent pas en archive. Il y avait un Dieu jadis, Luciane, ce Dieu a créé cette planète, il nous a créés, toutes les preuves sont là. Le globe regorge de mystères spirituels. Des constructions inexpliquées, des objets extraordinaires.

— Nous avons évolué grâce à notre environnement. Nous étions bactéries. Nous sommes issus de l'évolution naturelle.

— Un dieu nous a créés à son image.

— À son image ! Dis-tu ? À son image ? Alors il devait être mesquin, violent et perfide. Il ne devait posséder aucune bonté.

— Tu es ignorante. Il devait laisser l'humanité évoluer, construire sa destinée.

— Et des millions d'êtres humains, des peuples entiers ont été anéantis en son nom. Quelle justice ? Quelle bienveillance ? Croire en un Dieu n'est qu'illusion. Une forme rassurante, une forme d'autorité que certains avides de pouvoirs ont entretenue sur des esprits faibles et apeurés.

— Tu ne jures que par l'AGENCE. Tu es bornée. Tu penses pouvoir sauver l'humanité ? Depuis toute petite tu t'es fixé ce vain objectif. Nous devons nous repentir dès à présent, attendre le jugement dernier, accepter que notre race disparaisse enfin. Tu te crois capable au même titre que ta grand-mère de préserver les humains ?

Il esquissa un rictus caustique.

— Comment as-tu pu changer autant ? Je ne te reconnais plus. Nous avons établi un mode de civilisation équitable. Chacun a le droit de choisir sa vie. Nous lui donnons les moyens de réussir ses ambitions. Nous soignons gratuitement, nous avons évolué dans notre technologie. Nous devons maintenir cette politique pour la survie de tous. Oui depuis ma plus tendre enfance, je veux trouver la solution à ce grave danger. Nous n'avons pas le droit d'être fataliste. Notre mode de fonctionnement répare les erreurs de nos ancêtres. Et sais-tu pourquoi ?

Elle se mit à crier

— Parce que des imbéciles comme toi croyaient en des dieux qui ne pouvaient exister, parce que ces fous étaient des fanatiques.

— Demain, nous irons visiter ce que l'AGENCE n'a pas voulu répertorier.

Rouge de colère, Rymon claqua la porte en sortant de la pièce.

CHAPITRE 58 : an 2066

Jeffran maintint l'hélicoptère en vol stationnaire. Il examina les alentours. Tout paraissait tranquille. Il vérifia la distance que le localisateur de Luciane indiquait. Quinze kilomètres. C'était parfait. Il ne pouvait pas s'approcher plus, de crainte que le bruit des rotors ne parvienne jusqu'aux oreilles de Rymon.

Il ne voulait pas que sa présence soit immédiatement repérée. Il mit l'engin face au vent, baissa le collectif pour compenser l'augmentation de l'effet de sol, quand il sentit les patins au contact de la terre, il continua d'abaisser lentement le collectif jusqu'au pas nul, puis centra le cyclique et le plafonnier. Quand il fut certain de son atterrissage, il coupa les moteurs. Il ouvrit la soute et sortit la motoneige.

Après une dernière vérification au sac à dos qu'il accrocha à ses épaules, il démarra. Quand il fut arrivé à cinq cents mètres de sa destination, il descendit de la moto en prenant soin de la dissimuler derrière un bosquet d'arbres tordus, aux troncs courts et bruns. À travers une monoculaire il observa les alentours avec soin. Il distingua une bâtisse.

Jeffran enfila ses raquettes et avança dans la neige.

Lorsqu'il arriva à proximité de la maison, il en fit prudemment le tour. Portes, fenêtres, il mémorisa le plan de chaque ouverture.

Il s'arrêta devant l'une d'elle. Les coordonnées correspondaient parfaitement. L'astrophysicien se hissa vers le rebord. Il poussa les volets qui cédèrent sans résistance aucune. La pièce était plongée dans la pénombre. Il lui était impossible de discerner quoique ce soit.

Il sortit le coupe verre du sac, et entreprit de chantourner la vitre. Il retint le vitrage juste à temps. Il le déposa sur la poudreuse. Silencieusement, il enjamba la rambarde et sauta à l'intérieur.

Luciane sursauta. Elle s'était endormie. Un vent glacial s'engouffrait dans la chambre. Elle faillit hurler en apercevant une silhouette. Jeffran alluma rapidement la lampe de chevet. Elle le reconnut aussitôt, et se jeta dans ses bras. La jeune captive était tremblante, de froid, de nervosité, de peur. Il la tint serrée longuement contre lui jusqu'à ce que ses tremblements disparaissent.

Ils s'assirent sur le bord du lit. Jeffran remarqua le boitillement de la jeune femme.

— Comment m'as-tu retrouvée ? souffla-t-elle d'une voix rauque.

— Chut ! Il posa l'index sur les lèvres de sa collègue, en caressa les contours, releva une mèche. Leurs visages s'approchèrent doucement. Ils libérèrent leur trouble dans un baiser éperdu, s'agrippant l'un à l'autre, ivres d'être enfin réunis.

CHAPITRE 59 - temps d'avant 1
24ème vision de Luciane

— Je ne pourrai point vous accompagner durant vos promenades, Mademoiselle, mes articulations se jouent encore de moi.

— Ma pauvre Mirata, n'en soyez point contrite.

— J'ai mandé à Messire Erwin de vous accompagner lors de ces flâneries.

— Messire Erwin ? Et Noria n'est-elle point disponible ?

— Elle aide beaucoup aux cuisines et aux lessives. Noria est très affairée.

Alvina se remettait lentement de la maladie. Encore très pâle, le médecin lui avait suggéré des promenades au grand air.

— Et n'omettez point Mademoiselle de bien vous couvrir, lui avait-il conseillé.

Elle avait accepté l'idée sans rechigner, heureuse à l'idée de retrouver sa Chère Mirata et de profiter de ces instants pour bavarder.

La veille, elle avait reçu une missive de Firmin lui annonçant que son retour serait retardé de plusieurs semaines. Cette nouvelle ne l'avait pas attristée. Au fond d'elle-même, elle en était soulagée. Elle ne voulait pas fouiller dans ses sentiments et découvrir une réalité qu'elle se dissimulait.

Le troubadour avait raison. Elle s'aveuglait délibérément.

— Très bien, approuva-t-elle. Dis-lui que je serai prête dans une heure. Qu'il prévoit une besace, je voudrais récolter quelques mûres. Je sais que Sieur Gustin en raffole.

Erwin fut ponctuel. Ils s'engagèrent à travers les allées du jardin, échangeaient des banalités.

Alvina poussa un petit cri.

— Que se passe-t-il mon amie ?

— Je me suis piquée à une ronce. Ce n'est rien.

Erwin lui prit l'index sur lequel une goutte de sang perlait.

Il l'amena vers ses lèvres et l'embrassa. Elle ressentit une violente émotion, un nœud au creux du ventre. Son esprit se rallia brusquement à son cœur. Elle l'aimait. Elle était tombée éperdument amoureuse du barde. Cela ne pouvait être. Elle blêmit.

— Souffrez-vous autant de cette piqûre ?

— Que nenni Messire.

Elle détourna le regard, rougissante.

Il lui prit le menton, la força à le regarder. Elle retrouva ce regard d'océan en fureur.

— Quel est cet affolement qui vous envahit ?

Elle ne répondit pas.

— Je sais ce que vous ressentez Alvina, ne le combattez pas. J'éprouve la même chose à votre égard. Je ne cesse de penser à vous, vous êtes ma destinée, vous êtes la destinée de l'humanité. Toi et moi Alvina, murmura-t-il en se penchant vers les lèvres de la jeune fille.

Elle se fondit dans son baiser, elle savoura la douceur de ses lèvres, elle sentit son corps contre le sien. Doux et violent à la fois, elle accepta enfin la vérité. Leur destin était lié. Elle n'avait plus de doute. La certitude qu'il était là, qu'il était Lui, la certitude de ces sensations intenses, la rassurait, la confortait.

CHAPITRE 60 - temps d'avant 1
25ème *vision de Luciane*

Yvonic chevauchait depuis une semaine. Il avait tenu un rythme effréné, ne s'arrêtant que pour dormir et soigner sa monture. Il se rassasiait tout en galopant, de pain et de viande séchée. Le temps pressé.

Adepte de la croix, il ne souhaitait néanmoins aucun malheur à son beau-frère. Il appréciait cet homme à l'aspect bourru, mais d'une générosité sans égale. Il avait rendu heureuse Milène, et aux yeux du moine, c'était là une qualité particulière. Il connaissait les dessins de Gustin. Yvonic avait rencontré vingt ans plus tôt, avant qu'il ne quitte le pays, Chérum. Chérum le démon comme il était nommé dans la contrée, et par-delà celle-ci. Chérum lui avait alors prédit un sombre avenir pour l'humanité à venir. Il avait prédit ce que le grand destructeur ferait. Il avait prédit le destin d'Alvina et celui de son petit-fils Erwin. Il lui avait alors ordonné cette tâche à accomplir quand viendra l'heure. Et l'heure était venue. Son action n'arrêtera certes point Carlos de Franga, mais elle permettra aux jeunes gens de se dévoiler. Des années bien funestes s'annonçaient.

Il en était là de ces mornes pensées, quand il distingua au loin une trentaine de cavaliers. Une bannière sur laquelle se devinait une croix verte flottait au-dessus d'eux.

— Bien m'en a pris, se félicita-t-il. Je viens de l'Est, cela m'a fait perdre une journée pour contourner la contrée de la terre noire, mais ils penseront que je m'acheminais de ce côté. S'ils se fient à mon conseil, ils perdront deux semaines.

Ils arrivèrent à la hauteur du moine.

— Ola mon frère, que faites-vous seul à chevaucher dans cette lande sauvage ?

L'homme donna l'ordre à ses soldats de s'arrêter.

Le moine n'avait jamais vu un visage aussi cruel. Son âme semblait l'être tout autant. Un regard noir, perçant et sournois. La peau marquée de hideuses cicatrices, des lèvres minuscules et pincées affichaient un sourire sadique. Il mit pied à terre, et sortit de sa robe pourpre un bâton. À l'aide de celui-ci il avança en boitant vers la monture d'Yvonic. Il attrapa le mors du cheval qui se cambrait. L'animal avait certainement ressenti la malfaisance de cet individu. Carlos de Franga fixa le moine. Yvonic ne cilla pas, il n'avait pas peur de ce banneret. Il avait vu bien pire au cours de ses voyages. Chérum l'avait conduit chez Xi Chen. Il savait se défendre.

— Tu en auras besoin, mon ami, au cours de tes longs périples. L'art de Xi Chen n'a pas d'équivalent. Il peut tuer un homme à main nue.

Le thaumaturge l'avait pressé en ce sens. Yvonic n'était qu'un jeune homme à peine sorti de l'adolescence. Son apprentissage dura un an. Son corps se muscla, ses réflexes se développèrent, sa force se multiplia, sa concentration s'exacerba. Dans un regard, il identifiait aisément le moment où un adversaire passait à l'attaque. Il avait croisé la route de maints brigands, il les avait tous combattus sans être blessé, sans fatigue.

Carlos de Franga ne l'effrayait aucunement.

— Bonjour Noble Seigneur. Que la Croix soit avec toi. Je retourne comme notre Dieu et Notre Sainte Altesse me l'ont ordonné, à une mission d'évangélisation. Vois sur cette épistole la signature de Notre Altesse.

Il sortit de sa bure un vieux parchemin usé et la tendit à l'inquisiteur.

— Je me dirige vers ce pays où des pauvres incultes meurent sans être repentis. Je leur ferai découvrir le chemin vers la Croix, reprit le religieux. Je reviens d'une visite à mon pieux beau-frère.

Sieur Gustin de Valois.

— De Valois ? Dis-tu ? Nous nous y rendons. Je t'invite pour cette nuit à profiter de notre compagnie. Et demain à l'aube tu nous indiqueras le chemin le plus court pour parvenir sur ses terres. J'ai ouï dire que des païens puisaient encore leurs pensées au sein d'anciennes croyances. Et cela ne peut perdurer. Ils doivent se convertir. Ou mourir, conclut Carlos dans un rictus mauvais.

CHAPITRE 61 : an 2066

— Jeffran, je…

— Chut, nous devons partir. Tiens, enfile ma veste ! Tu ne peux pas sortir dans ce froid ainsi couverte. J'ai remarqué que tu boitais.

— Je me suis foulé la cheville après notre descente de l'hélicoptère. Rymon me traînait dans la neige, je crois qu'ensuite j'ai dû m'évanouir, je ne me souviens pas d'être arrivée dans cette chambre. Sara Nilsen est avec lui.

Jeffran serra les poings.

— Je vais l'assommer ce fourbe ! Ne traînons pas. Je te soutiendrai. Il fouilla dans son sac à dos.

— Prends ça, c'est un antalgique.

— Merci, murmura la jeune femme.

— Remercie surtout Carmen, c'est elle qui a listé ce joyeux bric-à-brac dans ce paquetage.

Il enjamba la rambarde le premier. Luciane se hissa, et Jeffran la retint lorsqu'elle amorça un saut sur le tapis blanc.

Ils entamèrent une course silencieuse. L'effet du médicament était immédiat. La Première Élite put courir plus aisément.

La lune dessinait des ombres étranges, les arbres tors donnaient l'image d'immenses personnages monstrueux.

Ils furent tout à coup encerclés par une meute de chien.

Les deux scientifiques stoppèrent et se mirent dos à dos. La horde canine n'aboyait pas.

Un homme s'avançait vers eux.

— Rymon, souffla Luciane.

— Tiens donc ! ironisa celui-ci, quand il fut à leur hauteur. Vous pensez fuir ?

— Comment l'as-tu su ?

Jeffran gardait les yeux rivés en direction du fusil que tenait l'agro-géologue.

— Où as-tu eu cette arme ? demanda-t-il

— Une question à la fois, mes amis. Vous voyez ces chiens ? Ce sont les descendants de chiens contaminés durant la guerre des anciens. Ils n'ont plus de cordes vocales. Ils me sont fidèles. Leur ouïe s'est aiguisée. Grâce à eux, je peux chasser. Lorsqu'ils entendent un bruit lointain, ils grattent le sol de la patte arrière frénétiquement. Je pensais qu'ils avaient entendu un animal sauvage. J'ai retrouvé ce fusil dans une galerie souterraine non loin d'ici. Certainement un abri d'un ancêtre qui a tenté de survivre.

Il dévisagea Jeffran.

— Ainsi voilà Jeffran Morinaud, celui qui est encensé par l'AGENCE, reconnu comme le plus brillant de l'ordre des scientifiques. Comment l'as-tu retrouvée ?

— Tu sais très bien que l'AGENCE ne dévoilera pas ses secrets. Oublie ta question.

— Tu penses être en position de fanfaronner ?

— Tu as une arme pointée sur nous. Et des chiens. Je crois que les radiations ne leur ont pas seulement enlevé les cordes vocales. Ils n'ont plus de crocs.

L'astrophysicien profita de la surprise créée par sa remarque. Il se jeta sur Rymon. Celui-ci bascula en arrière, lâcha son arme. Luciane l'éloigna d'un coup de pied. Une détonation partit. Les chiens s'enfuirent.

Rymon se redressa rapidement. Il asséna à Jeffran un coup de poing dans l'épaule. Son adversaire esquissa la deuxième frappe, et se positionna bien en face.

Jeffran se tenait fermement en appui sur le sol. Il sentait son corps ne faire qu'un avec la terre, ne faire qu'un avec l'air.

Son esprit décomposa tout ce qui l'entourait, et chaque pensée lui arrivait en accéléré. Rymon avait la puissance musculaire. Jeffran pratiquait le jeet kune do depuis l'enfance.

Il maintint sa garde, et fixa le géologue. Rymon se rua sur lui, tel un taureau. Jeffran ne bougea pas d'un centimètre. Il fit un écart juste à l'instant où son opposant allait le percuter. Ce dernier mangea la poussière. Le physicien posa un pied sur la nuque de l'homme affalé, et lui attrapa les poignets derrière le dos. Il les tint si fermement que Rymon laissa échapper un cri. Jeffran venait de lui tordre les doigts.

— Ça, c'est pour Luciane, lui adressa-t-il dans le creux de l'oreille. Et maintenant debout ! On retourne chez toi. Et pas d'entourloupe !

En guise de menace, de son index il pressa le cervelet.

— Je peux te mettre KO un bon bout de temps rien qu'en appuyant là, je risque de te tuer aussi.

Luciane avait assisté à la scène tapie dans un coin, tremblante et stupéfaite. Elle ignorait que son collègue fut maître d'art martial.

Depuis le nouveau gouvernement, les compétitions sportives étaient bannies. Beaucoup d'activités physiques avaient été supprimées. Seuls les sports autorisés étaient la gymnastique pour développer la souplesse, la course à pied pour la rapidité, et les arts martiaux pour le respect, la concentration et la défense. Elle pratiquait un peu de gymnastique lorsqu'elle voulait décompresser. Mais elle ne connaissait rien dans le sport de défense.

Ils s'engouffrèrent dans la maison, au moment même où une violente tempête de neige s'élevait.

— Nous n'aurions pas pu décoller par ce temps, pensa la Première Élite.

Madame Nilsen apparut, le visage blafard, avec dans le regard une foule d'interrogations adressées à son fils.

— N'ayez crainte Sara, lui adressa Luciane. Nous avons beaucoup de questions à vous poser. Je vais te faire plaisir Rymon, dès que la tempête aura cessé, tu nous montreras tes splendides découvertes.

CHAPITRE 62 : an 2066

Sara avait préparé un potage.

Elle convia les deux jeunes scientifiques à la table familiale.

Elle ébaucha le début d'une prière à voix basse.

Luciane intervint.

— Non Sara, pas en notre présence. Nous vous remercions de nous avoir préparé ce repas, mais ne nous infligez pas ce genre d'hypocrisie.

Madame Nilsen regarda son fils. Rymon lui fit un signe de tête.

— Laisse tomber pour cette fois mère, nous prions chaque jour dans notre cœur. Dieu nous pardonnera cette fois-ci.

La jeune femme détaillait la salle à manger avec intérêt.

— Rymon raconte-nous, ta vie ici depuis ton arrivée, reprit-elle.

L'agro géologue émit un soupir de lassitude.

— Nous sommes venus dans la zone froide parce que mère ne supportait plus la chaleur de la Grande Cité. Comme tu le sais, dit-il en s'adressant à Luciane, sa santé se détériorait. Je venais d'avoir seize ans. Mes études étaient terminées. Je venais d'avoir mon deuxième grade de géologue. Les premiers mois furent difficiles. J'ai parcouru pendant des semaines les alentours, puis j'ai

188

étendu le périmètre de mes investigations. Il y a un village tout près d'ici. C'est le seul que j'ai répertorié. Il y a quelques deux cent cinquante habitants. Je suis devenu ami avec la plupart. Ils vivent en autarcie, et n'ont jamais entendu parler de l'AGENCE. Ils m'ont fait découvrir l'ancienne ville. Il y reste encore de vieux monuments. En parallèle, je continuais mes tests de la terre. J'ai trouvé plusieurs hectares où le taux de radiation était vraiment très faible. Avec l'aide des villageois, nous avons retourné le terrain. Cela nous a prit des mois. Nous n'avions pas d'engins agricoles. Nous avons travaillé la terre avec de simples bêches. Nous avons construit une serre autour de ce secteur, et j'y ai installé un système d'énergie lumineux et une source de chaleur. Nous commençons à peine à récolter quelques légumes à présent. Claudius a contracté le virus deux ans après notre installation. Nous n'avions aucun moyen de le soulager. Dans le village, il n'y a eu que deux cas d'infection. Le premier était survenu trois ans avant notre installation, et le second quatre ans après le décès de mon père. Il n'y avait donc aucune raison de croire à une certaine corrélation. J'ai gardé le contact avec d'anciens camarades dans la grande cité. Nous communiquons par le réseau.

Jeffran et Luciane l'écoutaient attentivement. Notant mentalement chaque information qui leur paraissait importante. D'une même voix, ils s'exclamèrent.

— Le réseau ! Mais il est bridé depuis la guerre. Comment as-tu fait ?

— Il y a encore beaucoup de vestiges des anciens ici qui me sont très utiles, déclara-t-il fièrement.

— Les 'pro-légendes' ? C'est toi le chef n'est-ce pas ? s'enquit Jeffran

— Décidément mon cher, tu m'épates de plus en plus, ricana Rymon.

Luciane secoua la tête.

— Mais pourquoi Rymon ? Pourquoi ? Regarde autour de toi la folie de nos aïeuls. Comment peux-tu encore croire en cette absurdité ?

Elle observa Sara, puis Rymon tour à tour. Quelque chose de flou s'infiltrait dans son esprit.

Elle sentait le pendentif palpiter contre sa peau.

Jeffran aperçut son manège. Il la questionna du regard.

— Depuis combien de temps mangez-vous ces légumes ?

— Un peu moins d'un an.

Elle repoussa son bol. Et repoussa celui de son collègue.

— Qu'y a-t-il ?

— Ne mange pas, souffla-t-elle.

— C'est empoisonné ?

— Pire, irradié.

Les Nilsen la considérèrent ahuris.

— Irradiés ? Nos légumes ne le sont pas ! J'ai effectué tous les tests et nous ne sommes jamais tombés malades.

— Pas jusqu'à présent. Je ne l'avais pas encore remarqué. Vous avez tous deux des kystes sur les tempes, et au niveau du cou. À l'intérieur de vos pupilles, on distingue de minuscules points blancs. Ce sont là les apparences physiques. Qu'en-est-il psychologiquement de ces effets ?

— Nous ne sommes pas fous ! lâcha Sara en se levant précipitamment.

CHAPITRE 63 - temps d'avant 1
26ème vision de Luciane

Sieur Gustin de Valois visitait les écuries. Un bruissement d'ailes détourna son attention du cheval qu'il cajolait. Il leva les yeux et aperçut un faucon venir dans sa direction. Il tendit le bras et le rapace vint s'y poser. Il portait une bague à la patte droite. Un fin parchemin y était attaché.

Il le retira délicatement, offrit une récompense à l'oiseau et d'un mouvement l'invita à s'envoler.

Il déchiffra le message codé.

— Merci Yvonic, murmura-t-il.

Le moine annonçait le retard de Carlos de Franga d'au moins une semaine et demie. Il était accompagné d'une dizaine d'hommes. Et aucun n'avait l'air bienveillant.

Il entreprit d'avertir Mirata.

— Il nous reste une dizaine de jours. Nous ne pouvons pas prévenir les villageois sans nous compromettre. Il faudra les protéger au mieux, dissimuler toute notre magie. Rostiline a-t-elle pu entrer en contact avec Chérum ?

— Non Messire, répondit d'un ton navré la duègne. Elle se prépare à lancer un sortilège sur les êtres de la forêt avec leur consentement. Aucun humain ne sera plus en mesure désormais de les voir. Ils resteront ainsi cachés pour toujours.

— Nous allons connaître de grands tourments, ma chère Mirata. Allez trouver Erwin. Faites-lui part de cette nouvelle. Comment avance la chose ?

— Bien, Messire. Erwin et Alvina se promènent chaque jour. Ils passent beaucoup de temps ensemble.

— Parfait, répondit le vieil homme en souriant.

CHAPITRE 64 - an 2066

— Voilà une couverture chauffante, lança indifférente Sara Nilsen. Vous dormirez dans le salon Jeffran. Et toi Luciane, tu as toujours la chambre.

La jeune femme secoua la tête.

— Non, merci surtout pas la chambre.

— De plus, sourit son collègue, elle n'a plus de fenêtre.

— Je vais te chercher une seconde couverture, capitula Madame Nilsen.

— Nous avons tant à nous raconter, se justifia Luciane, après le départ de Sara.

— Et ma force tranquille te rassure n'est-ce pas ? Il afficha son air taquin.

— Monsieur se vante.

Elle l'embrassa sur la joue.

— Tu piques, remarqua-t-elle moqueuse.

— Et oui ! Nous n'avons pas encore inventé la pilule à raser. Voilà ce sera notre troisième projet.

— Troisième ?

— Oui Luciane, nous allons gagner face à ce danger, nous battrons le virus.

— Te voilà bien plus optimiste que moi ! Nous avons perdu plus d'une semaine dans le programme.

— Pas tout à fait.

— Comment cela pas tout à fait ?

— J'ai émis une hypothèse qui a séduit Maître Bernin. Il pense que nous faisions fausse route depuis le début.

— De quoi s'agit-il ?

— Je ne peux pas t'en parler ici, Rymon est certes quelque peu schizophrène, mais pas idiot. C'est un grand savant, il faut bien le reconnaître, dommage qu'il tourne mal. Je suis frustré de ne pouvoir te raconter d'autres choses, dit-il dans un bâillement.

— Nous en parlerons demain, j'ai plein d'histoires aussi à te raconter.

— Comment va ta cheville ?

— Mieux, je crois que le cataplasme de chou a été efficace.

— Un cataplasme de chou ? Et tu me traites de type archaïque ? Dis-moi Luciane crois-tu vraiment que leurs légumes soient contaminés ? Et que fais-tu de la chaîne alimentaire. Si les légumes sont irradiés, l'eau l'est certainement aussi et les villageois n'auraient pas survécu deux générations. Qu'il y ait eu des changements physiques oui comme ces chiens, mais tout le reste est-il toujours nocif ? Je crois vraiment que Rymon a découvert le moyen de fertiliser la zone froide.

— J'en suis persuadée.

— Je ne comprends pas alors. En plus ce potage était très bon, gémit-il.

Luciane éclata de rire.

— Mon pauvre collègue. Je suis désolée de t'avoir privé d'un aussi bon festin. Demain nous demanderons à Rymon de nous faire visiter son Laboratoire et sa serre.

— Et en plus je ne suis qu'un collègue à tes yeux ! Tu t'enfonces.

Devant l'air contrit de Jeffran, Luciane l'enlaça.

— Je voudrais qu'ils reviennent vivre dans la Grande Cité. Je veux les persuader que la zone froide restera quoiqu'ils expérimentent une région inhabitable et infertile.

— Pourquoi ?

— Pour les avoir à l'œil. Ici, Rymon se sert du réseau. L'AGENCE n'a aucun moyen de le surveiller et de prévoir ses futurs actes.

— Et tu as pensé à Sara ?

— Je pourrai faire en sorte qu'elle soit en zone de villégiature à vie.

— Nous devons prendre l'avis de l'AGENCE.

— Et peut-être pas. Tu as oublié que je suis devenue Première Élite ?

La tempête de neige avait cessé. Rymon leur avait prêté une combinaison anti-froid.

— Nous prendrons le Humvee, déclara-t-il.

— Humvee ? demanda Jeffran

— C'est un engin de la Grande Guerre. C'est un véhicule assez imposant, il était déjà équipé de chenillettes quand je l'ai trouvé. Il m'est devenu indispensable. Je bénis le ciel chaque jour pour l'avoir déniché. Oui Luciane, continua-t-il en regardant d'un air cynique, c'est une aide venue du ciel.

La jeune femme secoua la tête.

— N'importe quoi Rymon. C'est la zone froide qui a souffert le plus de la guerre, c'est ici qu'elle a commencé, c'est normal que beaucoup d'antiquités y soient encore.

Jeffran interrompit leur altercation.

— Tu l'as trouvé où ?

— Il était près de l'endroit où j'ai trouvé le fusil, avoua-t-il en se tournant vers l'astrophysicien. Allez monter ! Les tempêtes de neige sont imprévisibles. Profitons de cette accalmie. Luciane monte derrière, Jeffran tu peux passer devant.

Luciane s'emporta.

— Ne me donnes pas d'ordre. Ton air suffisant m'exaspère déjà assez ! Je t'en veux Rymon, marmonna-t-elle.

Seul Jeffran l'entendit.

— Il a cassé l'image que je gardais de l'ami d'enfance. Mais comment peut-on changer autant ? Je ne comprends pas. Pourquoi n'est-il pas resté fidèle à lui-même ?

— Il n'a pas changé Luciane. Il a simplement ôté le masque du petit garçon de l'époque. Il avait déjà toutes ces convictions. Ici, il a pu les vivre et les faire croître en toute liberté.

Rymon les regarda tour à tour.

Il avait dans les yeux une pointe d'hostilité, de rivalité lorsqu'il croisa celui de Jeffran.

Ce dernier soutint son regard, alors qu'il aidait la Première Élite à monter dans l'engin. Il sentit la haine que l'agro géologue avait à son égard.

— Je dois me méfier, pensa-t-il. Il n'en a pas fini avec nous.

Ils roulèrent pendant une bonne trentaine de minutes.

Rymon s'arrêta. Jeffran et Luciane, descendirent du véhicule.

Une neige fine tombait, voilant leur vision d'un rideau opaque. Ils avancèrent quelques mètres, et furent soudain saisis d'étonnement.

Là, juste devant eux, s'érigeait une monumentale construction.

Jeffran estima sa hauteur à quarante-cinq mètres, et d'une surface couverte de cinq mille mètres carrés. Les façades grises et endommagées laissaient entrevoir une incroyable richesse de sculptures. Des êtres, des visages, des créatures. Les souvenirs du livre de Jellane leur revinrent en mémoire.

Trois énormes portails, affichaient des bas-reliefs de couleur Or.

— Une cathédrale, balbutia Luciane.

Rymon jubilait.

— Entrez à l'intérieur, vous serez encore plus émerveillés.

Jeffran le toisa.

— Inutile de te méfier Monsieur le cosmologue. Entre, et arrête de me regarder comme si j'allais sortir un serpent de mon chapeau.

— Tu ne pourras pas de toute façon.

— De ?

— Sortir un serpent de ton chapeau. Tu n'as pas de chapeau.

— Tu es vraiment très drôle, railla Rymon.

Luciane avait déjà pénétré à l'intérieur de l'édifice. Elle était éblouie. Elle longea la nef qui s'élevait sur trois étages, admira les vitraux où une lumière du jour perçait, mystérieuse. Des scènes de vie étaient représentées dans des couleurs vives. Jaunes, bleues, rouges, vertes. Elle n'avait jamais vu quelque chose d'aussi beau. Elle contempla les colonnes, les statues érigées le long des bas-côtés.

Tandis que Luciane s'avançait vers le chœur, Jeffran la rattrapa.

Leurs mains se joignirent et ils contemplèrent un long moment l'énorme croix qui surplombait l'autel.

Des voix s'élevèrent. Des voix pures, séraphiques effaçaient le silence ténébreux de l'endroit. Rymon surgit près d'eux.

Un chant homophone, mélodieux, qui les ramena à une époque désormais familière.

— C'est un chant grégorien. J'ai retrouvé plusieurs disques d'avant la Grande Guerre. Il y avait encore l'appareil de lecture. Et le générateur électrique fonctionne toujours, les informa l'agro-géologue.

— C'est vraiment très beau, admit Luciane. Cet édifice est impressionnant.

— Lorsqu'il fut construit, il n'y avait aucune machine, tout a été fait de la main de l'homme. Les chants grégoriens sont apparus vers les années 770, ils étaient devenus les seuls chants religieux autorisés par l'empereur lors des offices religieux.

Jeffran blêmit à l'évocation de l'époque.

— Suivez-moi.

Rymon leur emboîta le pas, il contourna le déambulatoire, et s'arrêta devant une porte ornée de peintures funestes.

— N'ayez pas peur, les rassura-t-il, ce n'est qu'une crypte, jadis elle servait comme tombeau aux martyrs.

Les deux jeunes chercheurs échangèrent un regard atterré.

Ils empruntèrent un escalier étroit qui s'enfonçait, au fil de leur descente, dans une noirceur absolue. Rymon fit un peu de lumière à l'aide d'une lampe torche.

— J'économise la pile, ricana-t-il.

Jeffran soupçonnait une mise en scène de la part de son rival.

— Je n'ai guère envie de jouer à l'archéologue, se plaint Luciane. Tu as peut-être comme passion inavouée la nécrophilie, mais ce n'est pas la nôtre.

Rymon haussa les épaules et afficha un air consterné.

— Tu as pris des cours sur toutes les déviances de l'âme humaine ? Tais-toi et arrête de dire n'importe quoi. Décidément ma tendre amie d'enfance tu es devenue complètement idiote.

La faible lueur cacha ses joues empourprées. Elle serra les poings.

Jeffran attrapa le bras de Rymon.

— Fais attention à ce que tu dis, quelque part sur le globe, dans une zone bien isolée en pleine mer, il y a des endroits comme celui-ci, mais pour les vivants. Très peu d'humains y sont. Et leur condition de vie n'y est guère enviable. Sais-tu comment se nomment ces agréables lieux ? Des cachots. Luciane est la Première Élite. N'oublie pas qu'elle a le pouvoir de t'y jeter si tu ne te modères pas.

— Tu me fais vraiment très peur, ironisa son interlocuteur.

Jeffran lui asséna un crochet au menton.

Rymon bascula en arrière et dévala plusieurs marches. Jeffran le rattrapa.

Rymon cracha du sang.

— Tu m'as bousillé la mâchoire !

— Et je peux te bousiller plus encore si tu n'arrêtes pas ton ironie, tes sourires machiavéliques et tes sous-entendus de nabot. Maintenant, avance, on n'a pas toute la journée, et montre-nous tes objets de fierté.

La plongée vers les abysses prit fin. Rymon manipula un tableau électrique. Quatre lourds lustres en cristal de bohème éclairèrent l'immensurable salle.

Des étagères hautes de plus de trois mètres étalaient fièrement une multitude d'ouvrages. Luciane se dirigea au hasard vers l'une d'entre elles, porta son intention vers une énorme pile où s'entassaient vieux magazines, journaux. Elle en feuilleta un, puis un autre.

— Rien n'est écrit dans notre langue.

— Non, répondit son ami d'enfance en articulant faiblement.

Il lui retira délicatement l'ouvrage qu'elle tenait.

— Fais attention en les manipulant, siffla-t-il d'un ton inquiet. Vous avez ici toute l'histoire de l'humanité. Rédigée dans divers dialectes ou langues. Les villageois m'ont appris à en déchiffrer quelques-unes. Les preuves des contes, de la magie, de Dieu. Tout est ici. Tout est écrit ici. Nous devons rendre ce trésor à l'humanité avant le jugement dernier.

Jeffran ne disait rien. Il arpentait les allées, ébahi.
Et si Rymon avait raison ? Pourquoi garder cette inestimable
découverte secrète ? Peut-être que dans ces livres il y avait des
informations sur la physique, sur l'astronomie, sur la biologie.
Jellane avait créé un gouvernement différent de celui des anciens.
Pour protéger le reste de l'humanité.
Elle avait exclu ce qu'elle jugeait dangereux. Mais ce n'était que son
opinion, sa propre vision philosophique d'un monde meilleur. La
politique actuelle avait permis une harmonie parfaite entre chaque
zone du globe.

Toute la population vivait dans l'espoir qu'un jour le danger
serait écarté, elle savait que le Grand Labo avait placé ses recherches
en ce sens en tant que priorité, elle savait que le renommé Maître
Duracq traqué le virus. Qu'en sera-t-il après ? S'ils avaient la chance
de sauver l'humanité. Le globe à nouveau verrait sa population
croître, les différences entre individus s'intensifieraient.
Et les dissensions renaîtraient. Dans deux, trois générations, peut-
être plus, l'humain recouvrirait ses défauts primaires.

Les souvenirs de Jellane dans le cube-livre témoignaient de
cette nature profonde. L'AGENCE lui avait appris l'existence d'une
puce implantée. Quels autres arcanes cachait-elle ?
Depuis des années Luciane ne pensait qu'à sauver l'humanité
restante. Persuadée qu'elle poursuivait l'œuvre de ses parents. Les
images de guerre, de tortures avaient heurté sa sensibilité. Jeffran ne
partageait pas le fanatisme religieux de Rymon. Il ne croyait pas à
une entité quelconque. Il était cartésien, pragmatique. Certes, les
visions perturbaient sa propre réalité. Mais les mystères de
l'AGENCE remettaient en cause l'intégrité de celle-ci.

Il rejoignit Luciane. Elle affichait cette moue qui lui
connaissait lorsqu'elle était préoccupée.
Il se pencha sur le livre qu'elle feuilletait. Des images de la place de
la Croix, du palais de la Croix.

Rymon sursauta. L'ouvrage était tombé dans un bruit sourd. Il observa les deux scientifiques. Quelque chose en eux se produisait. Ils devinrent absents. Ils se tenaient la main, les yeux dans les yeux, sourds aux questions qu'il leur adressait.

CHAPITRE 65 - temps d'avant 1
27ème vision de Luciane

Alvina retrouva Sieur Gustin dans la bibliothèque. Sur un chevalet, pendait l'étole offerte par sa nièce. Il était penché dessus, l'examinant sous toutes les coutures.

— N'est-elle pas magnifique ?

— Vous me voyez ravie que ce présent vous comble, mon oncle.

— Je la contemple très souvent, voyez-vous. Ce tissu doux, léger, puis ces couleurs chatoyantes ! Et ces détails ! Chaque fois, j'en découvre de nouveaux. Ce monument sera d'une telle magnificence !

— Certainement. Allez-vous vous convertir ?

— Que nenni ma chère enfant ! Je suis admiratif devant le faste de ce palais. Et je ne puis croire en ce que je ne vois point. J'ai vu des gnomes, des lutins, des elfes m'ont aidé à retrouver mon chemin quand petit je m'étais perdu dans la forêt, j'ai rencontré des fées. Savez-vous, Alvina, que jadis j'étais ami avec le barde Simon ? Chaque jour, les êtres de la forêt prennent soin des arbres, des fleurs, des animaux. Ils préservent leur beauté. Les hommes peuvent créer des armes et se faire la guerre, mais ils sont capables d'imaginer de magnifiques œuvres pour contenter leurs prochains, notre ami Erwin crée des musiques et des chants agréables à nos oreilles, les artisans que vous croisez sur la foire, réalisent de superbes ouvrages. Tout cela est l'esprit de l'homme. Ce en quoi je crois. Certes, nous ignorons comment nous sommes apparus sur le globe. Là est certainement l'œuvre de notre mère nature. Oh ma tendre nièce, fit-il d'un air attristé, ne me jugez pas, je vous ai laissé libre de vos croyances, ne voulant point vous influencer. Simon m'avait prévenu de cette nouvelle religion. Et de ces dangers. Je voulais vous protéger.

— N'ayez crainte, mon oncle, loin de moi l'idée de vous juger. Je ne sais que penser de la Croix. Certains aiment à répéter les miracles du Sauveur, les prodiges de leurs saints martyrs. Ne sont-ce là que fables ? Je vais épouser Firmin, il est adepte de la Croix, je me rallierai comme le veulent les usages à sa considération. Néanmoins, au fond de mon cœur, je garderai une profonde reconnaissance pour Mère Nature.

Sieur Gustin de Valois détourna la conversation.

— Comment vous portez-vous, vos promenades vous font-elles reprendre quelques forces ?

Alvina s'empourpra.

— Effectivement ces escapades dans le parc me fortifient au fil des jours, répondit-elle embarrassée.

— Ne soyez point confuse. Firmin sera-t-il un bon mari ? Il y a des exceptions à toutes règles et usages. Écoutez votre cœur Alvina.

L'entrée de Noria interrompit leur conversation. Laissant la jeune fille pantoise.

CHAPITRE 66 - an 2066

Jeffran repéra l'endroit. Les coordonnées étaient exactes. Dix minutes plus tard, le véhicule se faufilait le long de rues étroites, bordées de maisons aussi vétustes les unes que les autres.

Trois enfants vinrent à leur rencontre à la descente du Humvee.

— Rymon ! s'exclamèrent-ils en sautillant autour de lui. L'agro-géologue attrapa le plus jeune, et le mit sur ses épaules.

— J'ai des invités aujourd'hui, leur dit-il. Va prévenir ton père, ordonna-t-il à l'aîné.

L'enfant d'une douzaine d'années partit en courant. Les deux scientifiques regardaient autour d'eux. Malgré le délabrement des habitations, l'ensemble paraissait propre et serein. Des containers parfaitement alignés régnaient le long des trottoirs. Un homme d'une quarantaine d'années vint les accueillir alors qu'ils arrivaient à la hauteur d'une maison aux murs rouges, où les vitres dessinaient comme des entrelacs de filets argentés.

— Bonjour mon vieil ami Rymon ! Voilà deux semaines que tu ne nous as pas rendu visite.

— Normal, il était occupé à m'enlever, rétorqua la Première Élite.

Elle se mordit la lèvre.

Rymon fit mine d'ignorer le sarcasme de cette réplique.

— Bonne journée à toi Winter !

Luciane le salua tout en l'observant. Les cheveux longs et tressés, l'homme à la peau cannelle, lui sourit, laissant entrevoir une dentition parfaite et d'une blancheur à faire rougir la neige dans laquelle ses pieds s'enfonçaient. Les yeux globuleux et sombres, dans lesquels dansaient d'infimes points jaunâtres scrutèrent le ciel.

— Entrez, proposa-t-il d'une voix rocailleuse.

L'intérieur était rustique et austère. Des coussins alignés contre un mur servaient probablement de canapé. Une table basse grise en métal sur laquelle était posée une statuette. Des cierges trônaient sur le revers de cheminée. Dans un coin un simple réchaud, une cuve, et une étagère vide.

La lumière fournie par l'âtre et les cierges n'était pas suffisante pour donner à l'ensemble une atmosphère conviviale.

Rymon et Winter discutaient joyeusement employant un dialecte inconnu.

Ils fumaient à l'aide d'une grande tige de roseau, affublée de plumes aux couleurs fanées. L'odeur qui s'en dégageait était âcre et moisie.

Elle sentit soudain une chaleur émaner de l'amulette.

Elle tourna la tête, espérant croiser le regard de Jeffran. Sa vue se heurta à celle d'un enfant. Adossé au mur de l'autre côté de la pièce, il alignait des bouchons de couleurs différentes, tout en la dévisageant.

— Où est-il ? s'inquiéta-t-elle à voix haute.

Les deux hommes interrompirent leur bavardage.

— Qui ? demanda Rymon.

— Jeffran. Où est-il ?

L'agro-géologue se leva prestement et ouvrit la porte pour examiner les alentours.

— Le humvee n'est plus là !

— Pardon ?

Luciane se précipita à l'extérieur.

Rymon ricana.

— Il s'est enfui, et t'a planté là ma pauvre amie.

Luciane n'y croyait pas. De rage, elle gifla son ravisseur.

— Jeffran ne m'aurait jamais abandonnée. Il va revenir, ne te réjouis pas trop vite.

— Moué, allez rentre ! Nous verrons bien, pesta-t-il.

Il adressa à son hôte quelques mots, dont le sens échappait à la jeune femme.

Winter laissa fuser un rire tonitruant.

Le pendentif palpitait toujours, la sensation devenait de plus en plus désagréable.

CHAPITRE 67 - temps d'avant 1
28ème vision de Luciane

Alvina était impatiente. Erwin était en retard pour leur promenade quotidienne.

Celles-ci s'allongeaient au fil des jours. Ils se promenaient dans le parc du château longeant les allées aux couleurs rousses, ils babillaient, le troubadour chantait quelques vers, lorsqu'il faisait mine de la saisir par la taille, Alvina s'enfuyait, se dissimulait derrière un buis, Erwin l'attirait alors vers lui, et l'embrassait. Puis ils éclataient de rire.

Il arriva enfin.

— Bonjour mon amie. Nous avons échangé quelques courtoisies avec Sieur Gustin. Mirata nous attend. Protégez-vous chaudement. Vous n'avez pas oublié qu'aujourd'hui nous nous rendons au marché. Je ne désire point vous revoir alitée.

Il y avait peu de marchands en cet après-midi pluvieux et froid. Erwin attira Alvina vers le chêne des fées.

— Regardez cet arbre. Voyez comme il est majestueux. Il est dit que jadis les fées de la contrée dansaient en ronde autour de son tronc pour célébrer l'été et l'hiver. Les elfes, les lutins, les farfadets, tous les êtres de la forêt chantaient, riaient et dansaient. Cette allégresse appelait Mère nature à porter en son sein les fruits de la saison. Il fut un temps où ses branches caressaient le soleil. Ce chêne, Alvina, est le symbole de notre attachement. Il est aussi le symbole de l'avenir. Un jour, dans une lointaine destinée, il témoignera de notre temps et sera le berceau d'un dénouement que je souhaite heureux. Toi et moi, souffla-t-il en plongeant son visage dans la chevelure de la jeune fille, nous sommes le commencement, et la fin.

Mirata les rejoignit. Alvina resta muette. Les paroles d'Erwin chantaient encore à son oreille. Elle ne comprenait pas le sens de ce laïus. Elle n'avait mémorisé que la musicalité de sa voix.

CHAPITRE 68 - an 2066

Jeffran profita de la diversion engendrée par les retrouvailles entre Rymon et Winter.

Il sauta rapidement dans le Humvee tandis que les deux hommes s'étreignaient. Luciane avait déjà franchi le seuil de la maison. Il avait observé la façon dont s'y prenait l'agro-géologue pour conduire. Il avait mémorisé chaque manœuvre. Le véhicule démarra sans difficulté. Il se dirigea vers le lieu repéré plus tôt.

Il sortit du sac un télescopeur, déplia les cartes que Carmen avait imprimées, et y annota différents relevés. Trente minutes plus tard, il reprit la direction du village, un sourire aux lèvres. Si les prochains calculs étaient exacts, alors son hypothèse serait la bonne.

Luciane était perdue dans ses pensées.

Où était son collègue ? Était-il parti sans la prévenir ? Que faisait-il ? Elle ressentait une légère migraine. La fumée que dégageait le calumet était nauséabonde.

— Voilà la raison de ces petits points à l'intérieur de leurs pupilles, se dit-elle. Probablement à base de plantes psychotropes.

Un courant d'air froid la tira de sa rêverie.

Jeffran pénétra à l'intérieur de la maison, devancé par l'aîné des enfants.

Rymon le jaugea l'air hagard.

— Où étais-tu ?

Luciane s'était levée précipitamment pour l'accueillir.

— Je voulais visiter les environs, donna-t-il comme simple réponse. Bon, à présent, nous devons partir. Je crois qu'il n'y aura plus de tempêtes aujourd'hui. Nous devons en profiter pour décoller.

Il insista, voyant que l'agro-géologue ne bougeait pas.

— Rymon ! On s'en va !

— Il est drogué, lui souffla la jeune femme.

— Bien, on part sans lui.

Cette dernière phrase eut le privilège de faire réagir le jeune Nilsen.

— JE conduis le Humvee, bredouilla-t-il.

— Pas si sûr !

Jeffran lui assena un léger coup derrière la nuque qui eut pour effet immédiat de l'endormir. Avec l'aide de Luciane, ils l'installèrent sur le siège arrière. Winter s'était assoupi, d'une manière beaucoup plus naturelle.

— Il faut que nous rentrions le plus vite possible, prévint-il.

— Je suis entièrement d'accord avec toi ! rétorqua la Première Élite.

Jeffran conduisait sans peine le véhicule. Luciane ne cacha pas sa surprise.

— Tu as déjà conduit une automobile ?

— Non, jamais ! J'ai observé comment notre ami s'y prenait.

— Je t'avoue que tes aptitudes me surprennent d'heure en heure.

Il se retourna dans la direction de son homologue, lui adressa un large sourire avant de reprendre leur conversation.

— Je dois te montrer un endroit. Nous nous y arrêterons deux minutes. Voilà c'est ici, dit-il en coupant le moteur. Viens !

Elle considéra les alentours.

— Il n'y a rien ici ! Un vieux chêne tout rabougri, deux malheureux sapins irradiés.

Alors qu'elle mettait pied à terre, elle poussa un cri de douleur.

Le pendentif la brûlait atrocement. Elle l'ôta de son cou, le jeta sur la neige. Il scintillait, vibrait.

Jeffran le ramassa. Il sentait les pulsations de l'amulette à la manière d'un cœur qui bat, il sentait la chaleur se diffuser à l'intérieur de sa paume de main.

— Que se passe-t-il ?

Luciane était stupéfaite.

— Je l'ignore. Partons d'ici. Je t'expliquerai plus tard pourquoi je voulais m'arrêter ici. Nous avons tant de choses à nous raconter ! Si tu savais tout ce que j'ai appris ces derniers jours ! Mais je te les dévoilerai une fois arrivés à destination.

Ils déposèrent l'agro-géologue, toujours endormi, au refuge. Sara était absente.

L'amulette ne dégageait plus aucune réaction. Jeffran la mit dans une poche.

Ils vérifièrent chacun de leur côté si rien ne leur manquait, Luciane récupéra son communicateur, et quelques minutes plus tard, ils retrouvèrent l'aéronef. Ils s'engouffrèrent à bord de l'appareil, Jeffran alluma les moteurs et l'hélicoptère prit doucement de la hauteur.

CHAPITRE 69 - temps d'avant 1
29ème *vision de Luciane*

Yvonic avait quitté, dès l'aube, Carlos de Franga et ses soldats. Le brouillard se faisait plus dense. La pluie ne tarderait pas. Il soupçonna là l'œuvre de Rostiline. Après avoir parcouru plusieurs kilomètres, il profita d'une halte pour rédiger le message destiné à Sieur Gustin. Le faucon qu'il avait dressé des années auparavant, se tenait en amont.

Il sortit le leurre pour attirer le rapace, qui entama une descente d'un vol rapide et plongeant.

L'oiseau se posa sur son bras, accepta quelques caresses et se délecta de la beccade offerte. Le moine attacha le message à l'aide d'une petite bague et le laissa à nouveau prendre son envol tout en lui donna l'ordre de retourner au château de Valois.

Il admira le vol du faucon quelques instants, remonta en selle et se dirigea vers l'Ouest.

— Bien, s'avisa-t-il, à présent, allons rencontrer ce vieux démon Chérum.

Il lui fallut trois jours pour rejoindre le thaumaturge.

Il le retrouva dans les terres froides. C'était une région désertique, plate, où l'immensité de la plaine aride embrassait l'horizon. Un vent perpétuel balayait la poussière de la terre.

— Comment te portes-tu mon cher moine ? S'enquit Chérum. Cette cazelle nous abritera pour la journée. Nous devons prendre un peu de repos, nos chevauchées étaient épuisantes. Nous ne sommes plus de jeunes damoiseaux, mon ami ! se gaussa-t-il.

Yvonic esquissa un rictus.

— Que nenni, mais nous voilà réunis. Bien des années sont passées et tu n'as point changé.

Chérum prit deux gobelets en bois, y versa de l'hypocras.

— Rostiline ralentit le grand destructeur encore quelques jours, en jouant de pluies et de brouillards. Erwin et Alvina sont à présent très proches. Sieur Gustin ne pourra prévenir tous les paysans. Le retour de Firmin est retardé, informa le religieux.

— Tout ceci me parait de bon augure. Nous ne pourrons arrêter ce qui doit être. Nous devons sauver l'avenir et déployer notre courage pour cette besogne.

L'enchanteur avala une gorgée du breuvage, toussota avant de poursuivre son harangue.

— Je partirai dès le matin, vers le nord. Tu prendras la direction vers l'Ouest. Voici une carte pour t'y guider.

Il désigna une forme triangulaire.

— Là, tu accompliras certaines actions en prenant soin de cet objet.

Il lui tendit une petite bourse de cuir. Yvonic allait l'ouvrir. Chérum le mit en garde.

— Non, garde-le précieusement jusqu'à ta destination. Ne l'ouvre pas ici, sa magie en serait altérée. Je ferai de même dans une région qui s'étend bien plus au nord de nos contrées connues.

CHAPITRE 70 - an 2066

Jeffran amorça la descente de l'aéronef sur la plateforme du Grand Laboratoire.

Le vol s'était passé sans encombre, les deux jeunes scientifiques n'avaient échangé que quelques banalités. Chacun étant perdu dans ses réflexions, l'heure n'était pas aux révélations. Ils étaient impatients de se retrouver enfin seuls dans la maison familiale. Jeffran pensait à ce livre entrevu sur une étagère dans le grenier. Il avait hâte de partager cette découverte avec Luciane.

Les membres de l'AGENCE les attendaient. Après le froid polaire qu'ils avaient dû endurer ces derniers jours, la chaleur les happa plus fortement que d'ordinaire.

— Venez Luciane, je vais vous ausculter, et vous aussi jeune homme, décréta Maître Duracq.

Maître Andria intervint.

— Est-ce que cela peut attendre Maître Duracq ? Je suis impatiente d'écouter le récit de leur séjour.

— Ces deux jeunes personnes sont épuisées. Vous patienterez jusqu'à demain. Igor, programme un aéro-car. Rentrez chez vous jeunes gens. Je passerai vous voir dans la soirée.

Luciane et Jeffran échangèrent un sourire de soulagement.

Carmen grésilla.

— Bonjour Luciane ! Bonjour Jeffran ! Je suis heureuse de votre retour. Maître Duracq m'a demandé le compte rendu de vos scans.

— Et voilà ! Elle recommence, protesta Jeffran en passant une main dans sa chevelure. Je me demande si je ne préfère pas Rymon et sa schizophrénie finalement !

— Tu plaisantes ? fit Luciane.

Jeffran éclata de rire. Il enlaça la jeune femme.

— Partout où tu seras, lui glissa-t-il à l'oreille.

— Hum hum !

— Il faudra en parler à Maître Duracq ! enchaîna le cosmologue.

— De ?

— Du rhume de Carmen.

— Les températures extrêmes atteignent tes neurones Jeffran, se défendit Carmen. Je vous ai fait couler un bain. Ensuite nous discuterons.

— J'ai faim, s'exclama Luciane tout en s'enfonçant avec délice dans le vieux canapé.

— Il faut que je te montre quelque chose, confia Jeffran. Suis-moi.

Ils empruntèrent l'escalier jusqu'au grenier.

— Je n'y suis jamais venue, déclara la jeune femme.

Jeffran poussa la porte, enclencha le vieil interrupteur pour éclairer la pièce.

Il se dirigea vers l'étagère, sur laquelle il avait repéré le jour de l'enlèvement de Luciane, l'ouvrage avec l'illustration du pendentif en couverture.
Il marqua un arrêt, fronça les sourcils étonnés.

— Carmen où est le livre ?

— De quel livre parles-tu ?

— Tu m'as mis en demeure de ne retirer aucun livre. Je n'ai rien sorti d'ici, alors où est le livre ?

— De quel livre parles-tu ? demanda Luciane intriguée.

— J'ai vu un ouvrage, ici exactement, qui avait le dessin de ton pendentif en couverture. Je n'ai pas eu d'hallucinations ! J'allais le prendre lorsque Carmen m'a avertie de ton allocution. Mes doigts l'ont à peine effleuré. Je suis redescendu aussitôt. Carmen, qui est venu chez Luciane ?

— Personne n'est venu en votre absence, affirma la voix numérique.

Jeffran eut l'intuition que quelque chose clochait.

— Luciane peux-tu vérifier les enregistrements de ces derniers jours dans la mémoire de Carmen ?

— Enrhumée et amnésique ! Et moi qui commençais à t'apprécier, gémit l'ordinateur.

Ils quittèrent le grenier, descendirent rapidement et se dirigèrent dans le bureau. Luciane décrocha un tableau sur lequel était représenté un paysage marin aux couleurs délavées. Un clavier y était dissimulé. Elle pressa son pouce, tapa une combinaison très longue de chiffres. Le mur coulissa.
Jeffran resta bouche bée.

— Je te présente Carmen ! annonça la Première Élite.

Un écran gigantesque, une console large de deux mètres sur laquelle cohabitaient des centaines de touches. Une image tridimensionnelle dessinait un visage en mouvement. Formée de filets qui s'enchevêtraient, découpée sur un fond bleu, Carmen dévoilait son apparence virtuelle.

— Waouh ! Tu es très belle, ironisa Jeffran.

Un grésillement se fit entendre.
Luciane s'affairait sur la console. Elle parcourut rapidement les rapports.

— Désolée Jeffran, personne n'est entré.

Jeffran repoussa une mèche.

— Laisse-moi regarder.

Il s'avança sur la console, analysa les horaires.

— Là ! dit-il. Ça ne colle pas ! Regarde ! Ce fichier et celui-ci marquent tous deux la même heure. Or, si je compare aux précédents, il y a une heure d'intervalle entre chaque.

Luciane analysa de plus près les rapports.

— Tu as raison, dit-elle.

— Carmen, as-tu une explication ?

— Non aucune. Vous pensez que cette partie de ma mémoire a été délibérément effacée ?

— Probablement, admit l'astrophysicien.

— Qui peut avoir accès à Carmen ?

— L'AGENCE, peut-être par le biais d'Igor.

— Je me suis aperçu lors de ma première venue, que des mini-caméras étaient installées. Sont-elles en service ?

— Je ne pense pas. Jellane les avait fait installer avant la conception de Carmen.

— Je crois qu'elles sont toujours en fonction. Il faut que nous trouvions là où les enregistrements s'effectuent.

— J'ai peut-être une idée, intervint Carmen.

Un vieil ordinateur qui trônait dans un coin s'alluma.

Jeffran se pencha sur le clavier, ouvrit l'explorateur, et trouva le dossier de téléchargement vidéo. Il consulta les dates.

Il ouvrit le fichier correspondant aux horaires falsifiés.

Luciane regardait par-dessus son épaule.

Les images défilaient.

— Non ! s'écria Luciane. C'est impossible !

CHAPITRE 71 - an 2066

Maître Duracq venait d'arriver. Jeffran alla le rejoindre, laissant le temps à Luciane d'éteindre l'ordinateur.

— Comment vous sentez-vous jeune homme ? Nous vous sommes tous reconnaissants de nous avoir ramené Luciane rapidement. Comment va-t-elle ?

Jeffran le regarda un long moment, hésita à lui répondre, encore sous le choc de leur découverte. Le soigneur lui adressa un franc sourire. L'astrophysicien n'eut pas le cœur à lui rendre.

— Vous me semblez réellement épuisé. Carmen m'a fourni les rapports de vos scans, je ne vois rien de particulier, quelques carences alimentaires, et je vois aussi que Luciane a une foulure.

— Oui, la douleur semble s'être bien atténuée, et le traumatisme disparaît rapidement. Certainement dû au cataplasme de chou.

— Du chou ?

Jeffran répondit d'un ton las.

— Oui. Maître Duracq, je ne voudrais pas vous jeter dehors, mais nous avons besoin de sommeil. Nous nous verrons au Labo demain.

— Bien entendu jeune homme ! Je vous ferai parvenir quelques médicaments pour vous remettre d'aplomb. Bonne soirée.

Luciane entra dans le salon, au moment même où l'aéro-car du soigneur s'envolait.

— Qu'a-t-il dit ?

— Rien, tout est parfaitement normal selon lui.

— Il me reste encore des sédatifs. Je vais en prendre un et dormir. Demain nous allons au Labo, il faudra parler à Maître Andria.

— Je crois qu'au contraire nous devons tout garder secret pour le moment. Je veux savoir pourquoi le livre a été enlevé.

— Cela fait plus de trois semaines, que s'enchaînent les rebondissements, je suis lasse. L'importance capitale de la mission ne me quitte pas, mais tout un pan de mon esprit est perturbé par tout ce qui nous arrive. J'ai eu des visions dans la zone froide.

— Il m'en est venu aussi, confia Jeffran. Tiens ceci est à toi, dit-il en lui tendant le pendentif.

— Merci, je sentais comme un vide ces dernières heures. La brûlure était vraiment très forte, tu sais.

— Je te crois. Mais à l'avenir, ne le jette plus. Je pense qu'il a son importance. D'une façon ou d'une autre, mais on la trouvera.

— Sais-tu que Chérum est le grand-père d'Erwin ? révéla-t-elle.

L'AGENCE les attendait. La réunion se passa dans la salle secrète.
Luciane ne la connaissait pas. Elle se rendait compte peu à peu que l'AGENCE dissimulait plus d'affaires qu'elle ne croyait. Elle ignorait toujours comment Jeffran avait pu la retrouver si facilement. Il n'avait pas voulu en discuter.

— C'est à l'AGENCE de te le divulguer. Je leur ai juré la plus totale discrétion. Étant la Première Élite à présent, tu mérites d'être mis au courant de tous ces secrets, lui avait répondu Jeffran pendant le vol du retour.

Elle n'avait pas insisté. Elle savait pertinemment qu'il n'avouerait rien.
Luciane était donc impatiente de lever ce premier mystère.

— Bonjour Luciane, Bonjour Jeffran, leur adressa Maître Andria. Luciane votre siège est ici. Vous êtes la Première Élite, je vous laisse présider cette assemblée. Vous en sentez-vous capable après tout ces tourments ? N'êtes-vous pas trop affaiblie ?

— Je vais très bien, Maître Andria, rétorqua la jeune femme un tantinet vexée.

Elle les invita à s'asseoir, resta debout, et commença son discours.

— Tout d'abord, je vous remercie de votre sollicitude, et des moyens employés pour me retrouver. Je remercie Jeffran, pour son courage et sa ténacité. La mission a pris plus de trois semaines de retard, et cela ne peut durer ainsi. Maître Bernin, nous nous verrons plus tard dans la matinée, afin que vous puissiez me faire part de vos relevés. Maître Duracq, dit-elle, après un silence, merci de vos soins, mais à présent, je vous interdis de me tenir à résidence. Je dois faire mon travail. Fatiguée, malade ou pas. Maître Andria puisque vous me sembliez hier impatiente de connaître nos aventures je vais vous les conter. Mais avant dites-moi, comment Jeffran m'a retrouvée ?

Un silence se fit. Chaque Élite se dévisageait, échangeait des regards.

Maître Duracq intervint.

— Je laisse le soin à Jeffran Morinaud de vous l'expliquer.

— Aucun ne semble assez franc, pour expliquer tout ceci eux-mêmes, pensa le cosmologue.

Il se leva, regarda chacun dans les yeux. Son regard les transperça, certains baissèrent la tête, presque honteux.

— D'après ce que les Élites ici présentes m'ont confié, les membres de l'AGENCE, les employés du premier au troisième grade ont un implant.

— Un quoi ? s'étonna Luciane, refusant de comprendre.

— Un implant. Une puce, qui activée par un code protocolaire défini pour chacun, peut servir à nous localiser parfaitement. Cet implant nous l'avons en nous, quelque part sous la peau. Il doit être infiniment petit, car je ne l'ai pas trouvé. Et je t'assure que la moindre parcelle de ma peau a été examinée.

Luciane se leva, repoussa brusquement son siège.

— J'ai un implant localisateur en moi ? Et vous ne me l'aviez pas dévoilé ? Mes moindres faits et gestes sont donc surveillés ?

— Non, Luciane, répondit Maître Duracq. Il n'est activé qu'en cas de force majeure. Votre enlèvement en était un.

— Taisez-vous ! lui cria-t-elle.

Elle sortit de la pièce en courant. Elle traversa les couloirs, des larmes de rage et d'épuisement, elle heurta plusieurs employés, et se retrouva face à Jeanne.

Jeffran pressentit de ne pas la suivre. Il comprenait sa réaction.

— Tenez, lui dit son assistante en tendant un mouchoir. Je suis heureuse de vous revoir Luciane, je me suis fait un sang d'encre, libérez-vous de votre stress, allons nous promener, nous irons prendre un café chez le déjeuneur.

La secrétaire, sans attendre la réponse de la Première Élite, l'entraîna dehors.

Luciane s'arrêta un instant, ferma les yeux, prit une longue aspiration.

— Merci Jeanne, bredouilla-t-elle.

Maître Andria s'adressa à nouveau à Jeffran.

— Que s'est-il passé dans la zone froide. Que fait Rymon ? Et Sara et Claudius. Nous n'avons plus de nouvelles de leur part depuis quelques années.

— Le virus a contaminé Claudius Nilsen. Il est décédé. Je ne connaissais pas Sara, mais Luciane m'a confié qu'elle lui semblait ne pas être en bonne santé. Ni mentale, ni physique. Elle a perdu plusieurs kilos. Rymon commence à fertiliser la zone froide.

Seul Maître Bernin avait relevé cette dernière information. Il observa la Maître diplomate. Des larmes coulaient le long de ses joues.

Maître Duracq faisait mine de n'avoir rien perçu de ce qui s'était dit.

Maître Albin, quant à lui, paraissait impassible.

— Sara Nilsen est la sœur de Maître Andria, déclara-t-il.

Jeffran eut un fou rire nerveux. Les Élites le regardèrent interloqués.

— Je me souviens d'un film d'anciens, un des rares qui nous sont permis, ironisa-t-il. Ce film a vu le jour certainement quelques années avant la Grande Guerre. Savez-vous ce que dit l'acteur principal ? Cette phrase m'a marquée, tant à l'époque je n'en saisissais pas le sens. Je vais donc lui emprunter sa réplique : je crois que je vais péter un plomb !

CHAPITRE 72 - temps d'avant 1
30ème vision de Luciane

Mirata aidait sa jeune Maîtresse à sélectionner une tenue pour la journée.

Le temps était sec et froid.

— Vous semblez vous complaire dans une certaine coquetterie que je ne vous connaissais point, constata la duègne.

Les joues d'Alvina rosirent.

— Vos affaires concernant vos noces avancent-elles ? poursuivit Mirata.

La jeune fille hésita un moment.

— Je ne me marierai point. Je n'aime pas Firmin d'un véritable amour. Mon cœur est ailleurs. Je ne peux point tenir le secret plus longtemps.

— Erwin n'est-ce pas ? demanda la gouvernante.

Sans attendre la réponse de la jeune fille, elle reprit.

Je vais de même faire preuve d'honnêteté envers vous mon enfant. Il est temps de vous mettre en garde. Sieur Gustin vous a fait part dernièrement de ses pensées. Carlos de Franga est entré dans les terres du Comte de Templeuve.

— Déjà ! s'écria Alvina.

— Oui, nous avons comploté pour le retarder.

La jouvencelle écarquilla les yeux.

— Je ne comprends point !

— Votre oncle Yvonic lui a indiqué un chemin plus long à travers les contrées de l'Est. Ma sœur a utilisé quelques ruses pour amener pluies et brouillards.

— Mais pourquoi ? Ta sœur ? Tu as une sœur Mirata ?

— Rostiline, c'est une fée blanche. Nous devions vous protéger.

— Me protéger ?

Alvina arpentait à présent de long en large la chambre. Mirata la suivait du regard.

— Vous avez une destinée hors du commun. Erwin a été élu pour vous accompagner dans cette tâche. Carlos de Franga a émis l'idée que Bérénice de Templeuve soit amenée dans un couvent jusqu'à l'heure de ses noces. Le comte et Sieur Guildas s'y sont farouchement opposés. Carlos de Franga a capitulé devant la dévotion envers la Croix dont Messire le comte et ses sujets font preuve. Sur les terres de Sieur de Valois, nous ne partageons point cette même adoration. De plus, vous êtes la fiancée en titre de Firmin, le protégé de Son Altesse à présent. Par gloriole, il se peut qu'il envisage le couvent pour vous-même. Et que personne ne soit à même de le contrarier.

— Il ne peut s'octroyer une quelconque emprise concernant ma condition. Et si mon oncle refuse, si je refuse, que fera-t-il pour nous en convaincre ?

— Sa cruauté envers les pauvres gens peut être un argument.

— Non Mirata ! Il n'en sera point ainsi. J'écrirai à Firmin. Il s'opposera, lui, à cette ineptie.

— Prions Mère nature que cela en soit ainsi.

— Et toi-même, Mirata ? Et Sieur Gustin ? Et Noria ? Et Erwin ? Aucun de vous n'est adepte de la Croix. Que va-t-il vous arriver ? Et tous ces paysans qui ne partagent pas l'idée de cette nouvelle religion ? Quel est l'avenir Mirata ?

— Je ne saurai point vous le conter, Mademoiselle, mais les jours à venir seront sombres et douloureux. La prudence de nos paroles et de nos actes sera capitale.

CHAPITRE 73 - an 2066

Jeffran activa son communicateur.

— Où es-tu ?

Luciane lui répondit aussitôt.

— Je suis chez le déjeuneur. Jeanne me tient compagnie. Que se passe-t-il Jeffran ? Pourquoi sommes-nous assaillis de toutes parts ? Le danger avance au fil des jours, nous prenons un retard gigantesque sur le programme. Il nous manque un grand nombre de coordonnées. Pourquoi l'AGENCE ne m'a-t-elle rien dévoilé sur cet implant localisateur ? Je suis la Première Élite et j'ignore tout. Comment leur est venue cette idée de localisateur ?

— Tu te souviens, nous avions demandé à Carmen de faire un tri dans le cube-livre de Jellane. Je t'invite à prendre connaissance de cette partie de l'histoire. On se rejoint chez toi dans une heure.

Avant que la jeune femme ne mette fin à leur échange, l'astrophysicien ajouta dans un souffle.

— Maître Andria est la sœur de Sara.

— Quoi !

Jeffran coupa la communication.

La Première Élite était une fois encore décontenancée par une nouvelle.

— Luciane, qu'avez-vous ? demanda son assistante.

— Jeanne, saviez-vous qu'il y avait un lien de parenté entre la Maître-Diplomate et les Nilsen ?

— Je l'ignorais.

— Que savez-vous de l'AGENCE et de sa politique ?

— À vrai dire, ce que tout à chacun connaît. Les noms des membres, leur rang, leur grade, leurs travaux. L'idéologie et le travail pour la sauvegarde du globe, la sélection des meilleurs cerveaux pour cette besogne, l'interdiction de certains cube-livre pour ne pas réveiller les erreurs du passé, une politique mondiale pour organiser une harmonie entre chaque peuple, et une langue universelle. L'obligation pour tous de se maintenir l'esprit sain dans un corps sain. De cultiver l'individualité, les capacités propres à chacun, et de contrôler les premiers symptômes de folies diverses. Et de rejeter tout ce qui peut être amené à développer l'idolâtrie en groupe. Maître Andria et Maître Duracq ne sont pas mariés, Maître Bernin et Maître Albin ont vu leur femme périr par le virus. Ils n'ont pas d'enfants.

— Comment sont-ils devenus membres de l'AGENCE?

— C'est Klara qui les a nommés. Leurs implications, leur intelligence, et le respect pour les idées de Jellane, les ont menés naturellement à ce rang. Je suppose que cette condition oblige à maintenir une certaine discrétion auprès de leur entourage immédiat.

— Savez-vous, Jeanne qu'une puce m'a été implantée je ne sais quand ? Peut-être en avez-vous vous-même ?

La secrétaire hocha la tête.

Luciane continua.

— Pourquoi l'avoir dissimulé ? Nous partageons le même combat, la même idéologie. Pourquoi tant de mystères ? Je ne sais pas si nous menons la bonne politique. On m'a enseigné que l'honnêteté était une grande valeur. Mais nous vivons dans un monde farci de dissimulation.

— Qu'avez-vous vu dans la zone froide, Luciane ?

La jeune femme se tut un moment, balayant les alentours d'un regard distrait.

— Des choses extraordinaires, l'AGENCE savait-elle leur

existence, a-t-elle feint l'ignorance délibérément? Les a-t-elle cachées? Rymon m'a affirmé que l'AGENCE ne connaissait rien de tout ce qu'il y a là-bas. La zone froide est à nouveau fertile, il y a les vestiges d'une cathédrale. Rymon a trouvé des armes et un véhicule militaire, il y a un village de deux cinquante personnes qui vivent en autarcie. Ils ignorent tout de l'AGENCE, du danger. Il y a une crypte, sous la cathédrale, c'est une immense bibliothèque. Tous ces livres ne sont pas rédigés dans notre langue. Rymon affirme que les villageois en ont traduit certains. Depuis cette découverte, je ne cesse de réfléchir. Doit-on porter en plein jour cette masse de connaissances, est-ce que je dois informer le globe de tout ce que j'ai vu dans la zone froide? Rymon m'a enlevée afin de me mettre face à cette vérité. Que dois-je faire?

Le communicateur de Luciane retentit une seconde fois.

— Bonjour ma tendre amie d'enfance. Ce n'est pas très gentil de vous être envolés sans prévenir Jeffran et toi. Comment va ta cheville?

— Rymon! Et ta mâchoire?

Jeanne fronça les sourcils, soucieuse.
L'agro-géologue ne releva pas l'ironie.

— J'espère que toutes ces découvertes t'ont donné matière à réflexion. Rien ne doit rester caché. Chaque enfant doit être bercé de contes, chaque adulte doit avoir la possibilité de se forger une foi.

— La seule foi permise est la protection du globe et de l'humanité. Nous devons aussi penser à restaurer l'équilibre de l'écosystème.

— Tu es bien trop terre à terre. Les "pro-légendes" reviendront de plus belle. Et il ne s'agira pas d'une simple manifestation cette fois-ci Luciane.

— Que comptes-tu faire?

Elle sentit la menace réelle insufflée par les paroles de Rymon.

— Je te laisse mijoter tout cela, Première Élite, un hélicoptère m'attend.

Luciane relata sa conversation à son assistante.

— Où se procure-t-il le kérosène ?

La jeune femme retrouva Jeffran une heure plus tard chez elle. Il visualisait une partie du cube-livre de Jellane. Elle s'assit silencieusement près de lui.
Il lui adressa un sourire, et souffla :
— Écoute, cette partie est vraiment intéressante.

LA NUIT DES FEES

L'Histoire de Jellane - 4

…Cela faisait partie du plan à l'échelle planétaire. Tout est venu en douceur.

Ce fut tout d'abord quelques entreprises qui ont commencé cette initiative.

Disons plutôt « essai ». Ces entreprises disaient vouloir faciliter la vie de leurs employés. Passer les portiques de sécurité, payer leur repas, utiliser ordinateur, imprimante et photocopieuse plus aisément.

Il y avait bien entendu, une facette inavouée à cette technologie. La surveillance des heures d'arrivée et de sortie, le contrôle du temps de travail, lors d'un arrêt maladie, si celui s'avérait réel.

D'autres secteurs d'activité l'ont ensuite testé. On pouvait s'inscrire dans certains clubs très à la mode et très « branchés » en acceptant cet implant. Un crédit y était affecté, décompté par un simple scan à l'entrée.

Puis le projet a pris un autre sens.

La puce engloberait le dossier médical de tout individu, le compte bancaire, ajouté à un système de localisation pour les enlèvements, disparations, ou victimes de catastrophe naturelle.

La propagande pour l'implant était mise en place.

Toutes ces données, sur des milliards d'individus, des données personnelles : généalogie, renseignements d'impôts, casier judiciaire, faisaient fi de la liberté individuelle. Le moindre déplacement était épié, ce que nous lisions, ce que nous utilisions comme produit, ce que nous mangions, ce que nous buvions.

Nos conversations étaient espionnées.

Mais il y avait bien pire que cette surveillance de masse. La recherche sur la manipulation du comportement était en plein essor. Il devenait possible d'inhiber certaines émotions, de contrôler les taux hormonaux pour mieux exercer un plein contrôle des naissances, ou à l'inverse augmenter l'agressivité. Le libre arbitre, la liberté de pensée et d'expression n'existaient plus.

Après la Grande Guerre, cette politique a été enrayée. Aujourd'hui seul l'implant de localisation est en fonction. Cette localisation se fait uniquement par un code spécifique dès lors que la balise du communicateur est activée. Ce qui signifie que les personnes ayant un grade élevé en possèdent, car leurs travaux sont primordiaux…

****

Carmen coupa la projection.
— Maître Bernin vient d'arriver.

Le Maître-Chercheur s'avança pour les saluer cordialement.
— Comment vous sentez-vous après toutes ces péripéties ?
J'ai parcouru votre rapport Jeffran, nous nous approchons du but.
Luciane, avez-vous eu le temps de l'analyser ?
— Non, Maître Bernin. Jeffran devait justement me le
commenter. Je vous écoute, dit-elle. Voulez-vous un
rafraîchissement ?
— Un verre d'eau fraîche conviendra, je vous remercie.
Ils s'installèrent dans la véranda.
— Je vous laisse expliquer notre hypothèse, Maître,
commença Jeffran.
Le premier chercheur s'adressa à Luciane.
— Comme vous le savez, nous avons longtemps hésité sur le
paramétrage des coordonnées. Tous nos calculs se sont avérés
faussés par la conjoncture planétaire. Si nous nous fions à
l'immuabilité de notre système solaire, nous n'aurions pas eu cette
réserve. Or, étant donné que l'univers est en perpétuel mouvement,
il est indispensable de trouver le meilleur axe de lancement, ainsi
que la vitesse indispensable. Nous n'avons qu'une unique possibilité
de fenêtre de tir. Nous n'avons aucun droit à l'erreur.

Luciane écoutait, attentive, hocha la tête en guise d'approbation, se mordait la lèvre.

Maître Bernin avala une gorgée d'eau avant de poursuivre.

— Nos calculs ne permettaient pas jusqu'à présent de déterminer l'heure idéale. Jeffran a émis l'hypothèse que le lancement devrait se faire ailleurs qu'ici.

— Ailleurs ? L'Osbern est quasiment fini, comment allons-nous le transporter ?

— Nous réfléchissons à cette éventualité. Mais jusqu'à maintenant tous nos calculs ont prouvé que si nous l'envoyons d'ici, l'Osbern ne respectera pas sa trajectoire. Vous vous en êtes rendu compte par vous-même Luciane. Vous avez beau retourner les chiffres dans tous les sens, l'axe n'est pas stable et il n'atteindra pas son but. Nous devons prendre en compte l'inclinaison du globe pour le lancement. Celle-ci a été modifiée lors de la Grande Guerre. Chaque catastrophe naturelle a ajouté son lot de degrés variables. Nous ne pouvons plus nous fier aux mesures établies par les anciens. Elles ne sont plus valables.

Luciane était au bord des larmes.

— Des semaines, des mois entiers pour rien !

— Non, pas en vain, la rassura Jeffran.

— Vos calculs ont permis à Jeffran d'apporter cette nouvelle hypothèse. Il a relevé dans la zone froide certaines données qui se doivent d'être étudiées. L'axe me semble convenable, mais les conditions météorologiques empêchent un tir de cette ampleur. Si l'on compare et superpose les coordonnées de lancement ici, et celles la zone froide, on s'aperçoit qu'elles ont tendance à se rejoindre à un point x. Mais la distance du point visé n'est pas atteinte. Il nous manque donc deux autres points de coordonnées.

— Je ne comprends pas. Vous supposez que nous devons chercher d'autres points de lancement ailleurs sur le globe ?

— La triangulation Luciane. Il faut trouver le dernier point à l'Est, pour un lancement probable au centre. Nos calculs nous permettront de résoudre cette énigme, n'est-ce pas Maître ?

— Et pour cela, il sera indispensable que vous vous rendiez sur place Jeffran.

— Pardon ? Quelque chose m'a échappé ?

Carmen intervint.

— Il est temps que Jeffran prenne quelques jours de congé.

— De congés ? Maintenant ? C'est une plaisanterie ?

Luciane regarda tour à tour les deux hommes.

— Oui, Luciane, de votre côté il vous faudra vous former à vos nouvelles fonctions de Première Élite.

— Ce qui sous-entend que tu auras accès à tous les secrets de l'AGENCE, argumenta le cosmologue. Je dois retourner de l'autre côté, ma famille me manque. J'ai déjà une vague idée de l'endroit exact où j'y effectuerai mes relevés.

— Combien de temps pars-tu ?

— Une semaine, je pars demain matin.

Maître Bernin profita de leur échange pour s'éclipser. Il était venu leur faire part de son rapport. Sa tâche était accomplie. Il laissa les deux jeunes scientifiques à leur conversation.

— Rymon revient.

Luciane ne savait plus que penser.

— Je ne vais pas reprendre un sédatif sous prétexte que mon cerveau va exploser ! cria-t-elle.

— Calme-toi.

Jeffran tenta de l'enlacer.

— Me calmer ? Tu es fou Jeffran. Vous êtes tous devenus fous ! Où alors c'est moi, dit-elle en se laissant tomber dans le vieux canapé.

— Personne n'est fou. Comment sais-tu que Rymon revient ?

— Il m'a parlé par communicateur il y a quelques heures. Il menace une action plus importante qu'une simple manifestation.

— Un seul mot, Luciane, et je reste.

— Tu dois faire ce qu'il faut. Nous avons tous une mission à accomplir. Nous nous verrons ce soir, je retourne au Labo. Peux-tu me passer tes notes ? Je vais les entrer dans mes analyses.

CHAPITRE 74 - temps d'avant 1
31ème vision de Luciane

L'hiver s'installait. Quelques flocons dansaient dans le ciel. Erwin remonta sa cape pour se couvrir. Il hâta le pas, impatient de la retrouver comme chaque jour.

Elle était assise sur un banc dans le corridor. Elle paraissait songeuse, en réalité il la sentait effrayée et triste.
Il la contempla. Elle rencontra son regard. Leurs cœurs s'appelaient.

— Je ne vous sens point en humeur joyeuse, mon amie.

— En effet, Erwin, je suis inquiète. Carlos de Franga arrive ce soir. Il faut que vous partiez.

— Partir ? Vous quitter ?

— Oui, Messire. Firmin annonce son retour dans deux jours.

— Vous ne vouliez plus vous marier ! Avez-vous donc changé d'avis ?

— Que nenni Messire. Mais je désire vous protéger. Je ne pourrai point jouer la comédie plusieurs jours, peut-être arriverai-je à tenir le temps du séjour du grand destructeur. Erwin, comme cela m'est difficile de vous dire tout cela. Vous me manquerez, vos chants, nos promenades, nos rires, vos yeux et vos baisers. Tout cela est à présent mon jour et mon avenir. Nous devons patienter.

— Nous ne pouvons pas patienter, Alvina.

Le troubadour lui prit la main, l'attira contre lui.

— L'avenir de l'humanité se joue en cette année. Il se joue

cette saison.

— Partez !

Alvina s'enfuit en courant.

Mirata la trouva effondrée au milieu de la bibliothèque, près de l'âtre.

— Qu'avez-vous mon enfant ? Elle s'approcha d'elle puis la berça comme elle l'avait fait tant de fois lorsque la jeune fille était enfant.

— Oh Mirata, comme tout cela est malheureux ! J'ai donné congé à Erwin.

— Mais pourquoi ?

— Carlos de Franga ne doit pas le rencontrer. Erwin a des pouvoirs, Mirata tu devrais partir aussi.

— Si vous m'éloignez, cela ne risque-t-il pas d'éveiller quelques soupçons ?

— Tu as peut-être raison. Peux-tu demander à Rostiline de veiller sur lui ?

Carlos de Franga pénétra sur les terres de Sieur de Valois, alors que le crépuscule s'étalait peu à peu sur la campagne environnante.

Alvina s'était réfugiée dans sa chambre.

Elle le vit descendre de cheval. Elle frissonna. Il héla le palefrenier. Le malheureux s'approcha trop près du cheval d'un des soldats. La monture se cambra et désarçonna son cavalier. Le banneret brandit sa cravache et en asséna deux coups au palefrin.

La jeune fille avait assisté à la scène. Une colère se diffusa au plus profond d'elle-même. Mêlée de tristesse et d'injustice, celle-ci la sortit de sa léthargie. Elle se précipita dans le couloir. Un bras la retint.

— Non !

— Erwin ! Que faites-vous encore là ? Où est Mirata ?

— Mirata accompagne Sieur Gustin afin de recevoir Carlos. Je ne puis vous quitter de cette façon.

— Vous ne comprenez donc pas ? Laissez-moi, il me faut

dire à ce personnage ce que je pense de sa conduite.

— Non Alvina ! Vous n'irez pas le confronter. Sieur Gustin vous protégera aussi. Il va annoncer ce soir votre maladie.

— Je ne suis point malade !

— Vous devrez le feindre quelques jours. Personne n'osera vous approcher. Rostiline m'a priée de vous donner ceci.

— Qu'est-ce donc ?

Elle regarda à l'intérieur de la petite bourse en cuir.

— Des plantes pour amener la fièvre. Vous devez oublier quelque temps aussi votre témérité.

— Il a frappé ce pauvre homme de sa cravache !

— Ce n'est là que piètre démonstration de sa cruauté.

— Erwin, partez ! Allez-vous cacher en d'autres contrées.

— Non, mon amie, je reste près de vous ! Ici même. L'avenir a besoin de nous. J'ai besoin de toi.

Alvina fouilla du regard la chambre.

La situation lui échappait. Mais voulait-elle vraiment la contrôler ? Son destin ne lui appartenait plus.

Le troubadour tourna la lourde clé dans la serrure. Il prit la main de la jouvencelle. Elle retrouva la fureur de l'océan dans son regard. Cette couleur profonde qui avait la mystérieuse faculté de faire chavirer tout son être. Ils s'embrassèrent. Elle sentit les mains d'Erwin descendre le long de sa robe, la lente caresse sur sa peau. Elle s'accrochait à son regard, elle s'accrochait à ses baisers.

— Ici et maintenant pour l'éternité, lui souffla-t-il.

CHAPITRE 75 - an 2066

Le jardin des fleurs-fées lui offrit la fraîcheur et la quiétude recherchées.

Elle déambula, rêveuse, à travers les allées.

Elle explorait, tout en marchant, les notes de Jeffran. Elle avisa le chêne, le contempla, et toujours accaparé par sa lecture, elle s'appuya contre l'énorme tronc.

Elle sursauta. L'amulette palpitait et une chaleur s'en dégageait.

Elle recula de quelques pas, enferma dans sa paume le pendentif tout en se dirigeant vers la sortie.

Jeffran avait raison. Le bijou détenait un mystère.

Elle prit son communicateur et appela Carmen.

— Peux-tu fouiller dans l'histoire de Jellane et de Klara si elles relatent une quelconque manifestation du pendentif ?

— Non.

— Pardon ?

— Non. Non il n'y a jamais eu d'interférence avec ton bijou. Jeffran m'a déjà posé cette même question.

— Merci Carmen.

Luciane admirait son collègue. Jeffran possédait une analyse, une perspicacité extraordinaire. Elle avait hâte de le retrouver. Elle était passée au Grand Laboratoire comme convenu, et n'avait rencontré aucun membre de l'AGENCE. Elle eut tout le loisir d'entrer dans son ordinateur les nouveaux paramètres. Elle se renfrogna à l'idée du départ de Jeffran dès le lendemain.

Il avait préparé le couvert sous la pergola. Elle le trouva en train de s'affairer à la cuisine. Il se retourna lorsqu'il entendit les pas de la jeune femme. Elle s'avança doucement vers lui. Il posa la cuillère qu'il tenait.

Il referma ses bras autour de sa taille. Il repoussa une mèche qui cachait le regard émeraude de Luciane.

— Le pendentif, il a encore réagi.

— Je sais. Je l'ai senti. Viens.

Il la guida jusqu'au canapé du salon. Il attira son visage, rencontra ses lèvres. Il déboutonna lentement la veste de Luciane. Ses doigts découvraient la douceur de sa peau, ses baisers se promenaient au hasard, avides, des lèvres à la naissance du cou, des épaules aux lèvres.

Il s'enivrait de ses sensations. Luciane enleva à son tour le tee-shirt du jeune homme. Elle détailla la musculature. Ses mains effleuraient chaque courbe, découvraient sa puissance. Le pendentif vibrait au même rythme que son cœur. Il vacillait, comme l'intérieur de ses entrailles. Des images l'aspiraient. Elle se noya dans le flot intense de cette volupté.

Jeffran la souleva dans ses bras, monta les quelques marches qui menaient aux chambres. Ils s'embrassaient, impatients. Il poussa du pied une porte au hasard, et allongea Luciane dans le grand lit bleu. Elle lui tendit les bras, il se perdit dans ce cocon lascif.

Lorsque la Première Élite se réveilla, Jeffran était déjà parti.

Il avait posé un mot sur l'oreiller.

— Ici et maintenant, nous pour l'éternité.

Elle ne s'étonnait plus de ces similitudes avec les visions. Luciane se demandait parfois si celles-ci appartenaient au passé, si elles n'étaient que purs fantasmes, ou peut-être agissaient-elles comme prémonitoires ? Les draps portaient le parfum boisé de Jeffran. Sur sa peau, elle ressentait encore la sensualité de leur nuit.

CHAPITRE 76 - an 2066

Jeffran avait quitté la maison sur la pointe des pieds pour ne pas la réveiller. Se séparer de Luciane était difficile. Il avait été employé par l'AGENCE pour aider la jeune femme à trouver une solution contre le danger qui menaçait toute la planète. Il se devait d'accomplir cette mission. Il devait pourtant se l'avouer. Que lui importait à présent le sort de l'humanité ? Il n'agissait plus seulement pour cette simple cause.

L'idée de perdre Luciane lui était insupportable. Il voulait sauver le globe, pour la sauver elle.
Il avait programmé Carmen pour contrôler toute intrusion dans la maison, il avait ordonné à Igor de veiller à la sécurité de Luciane, et avait réactivé le protocole de l'implant afin de détecter tout danger éventuel. Il se méfiait de Rymon. Il avait le pressentiment que l'agro-géologue utiliserait une fois de plus de fourberie.

Son voyage ne durerait qu'une semaine. Il se transmoléculerait jusqu'à la Grande Université, puis de là prendrait le supergliss. Un trajet de dix heures.

L'odeur des embruns emplit ses narines. Il admira l'étendue de l'océan.
Les vagues s'échouaient, épuisées, sur le sable.

Il se dirigea vers la yourte familiale. Ses parents l'attendaient.

— Comme tu as fortifié s'exclama joyeusement Hildina Morinaud. N'est-ce pas Garren ?

— Oui, oui Hildi, tu as raison. Nous avons un fils merveilleux. Tu nous as manqué.

— Viens, entrons ! Raconte-nous ces années loin d'ici.

Hildina prit le bras de son fils. Ses yeux noirs brillaient de fierté en contemplant Jeffran.

Elle n'avait pas eu d'autre enfant. Elle était tombée gravement malade durant sa grossesse. Maître Duracq vint alors la soigner. Elle fut surprise de l'intérêt du soigneur.

Il lui en dévoila la raison lors du premier anniversaire de Jeffran. Elle tint le secret, et protégea son fils.

L'astrophysicien observa ses parents. Ils avaient, au cours de ces dernières années, pris rides et cheveux blancs. Mais leur complicité restait intacte.

Le visage hâlé de son père affichait un éternel sourire. Une mèche rebelle se balançait sur un front haut. Il posa sur sa femme un regard gris acier franc et charmeur.

Hildina Morinaud leva la tête vers son mari. Garren possédait une stature de colosse. Près de lui elle paraissait aussi frêle qu'une brindille. Jeffran avait hérité de ce bleu turquoise qui s'illuminait dans les prunelles de sa mère.

— Nous avons écouté le discours de la nouvelle Élite. Elle est très jolie. Votre collaboration se passe bien ?

Jeffran s'empourpra.

— Nous avançons dans nos calculs et l'Osbern est bientôt terminé. Demain, j'irai faire quelques relevés. Il nous reste à peine six mois.

CHAPITRE 77 - temps d'avant 1
32ème vision de Luciane

— Pourquoi ne puis-je la consulter ? Est-elle contagieuse ?

Carlos de Franga fustigeait Mirata.

— Elle est très fatiguée Messire, elle n'est certes point contagieuse, mais cette fièvre étrange nous invite à être prudents. Nous ne savons de quel mal elle souffre.

— Bien ! Si cette jouvencelle n'est point contagieuse je m'en vais de ce pas à son chevet.

— Messire, n'en faites rien, Alvina doit se reposer.

L'inquisiteur ne releva pas l'objection. Entêté, il se dirigea vers la chambre.

Sans même s'annoncer, il entra dans une pièce baignée de pénombre. Il distingua la jeune fille alitée.

Mirata le secondait. Inquiète, elle jeta un regard discret autour d'elle. Erwin avait disparu.

— Pardonnez mon indélicatesse, Mademoiselle. Il était de mon devoir de vous rendre visite. Votre fiancé m'a prié de me porter garant de votre protection, hélas je ne suis point médecin, je vous vois là très affligée par cette fièvre. Je ne puis rien faire pour le moment pour exaucer son vœu.

Un rictus déforma son visage. Alvina haïssait cet homme à peine entrevu.

Alors qu'il tournait les talons, Sieur Gustin apparut, le souffle court.

— Sieur Gustin !

Mirata le porta jusqu'au vieux fauteuil.

— De quelle arrogance fait-il preuve ? s'emporta le vieil homme. S'inviter dans les appartements d'une jouvencelle, malade et fiancée de surcroît. Firmin ne saura supporter tel affront !

— Que nenni Monseigneur, le rassura Mirata. Avez-vous des nouvelles du moine Yvonic ?

— Oui.

Il observa tendrement la jeune fille assoupie.

— Yvonic et Chérum se sont rencontrés, le thaumaturge a fabriquer les clefs du futur, il en portera une dans les terres du Nord, Yvonic ira vers l'ouest. Les lignes du destin sont écrites mon amie. Nous venons de perdre notre libre-arbitre, nos choix ne nous appartiennent plus.

CHAPITRE 78 – an 2066

Jeffran s'était levé dès l'aube. Il se dirigea vers la plage, effectua quelques katas puis s'octroya une promenade sur le bord de mer, comme lorsqu'il était enfant. Il avait toujours aimé cette lumière, ces couleurs irisées dont le ciel s'habillait au lever du soleil. Il apprécia les parfums iodés, la douceur du sable sous ses pieds, le chant des ressacs.

Son cœur se serra. Il aurait aimé partager ce moment avec Luciane, prendre un instant dans leur course folle contre la montre, oublier un instant le danger, arrêter le temps en lui tenant la main.

— Tu me sembles bien rêveur mon fils !

Perdu dans ses pensées, il ne s'était pas aperçu de la présence de son père.

— J'admirais l'océan, j'avais oublié comment tout cela est magnifique. Nous ne pouvons pas laisser détruire cette beauté. Veux-tu m'accompagner dans les terres ? Je suis à la recherche d'un endroit précis, mais je ne sais où il se trouve.

Garren fronça les sourcils.

— Tu cherches un endroit mais tu ne sais pas où ? Tu peux être plus clair Jeffran ?

— Il y a un vieux chêne à cet endroit.

— Mon fils, des chênes il y en a beaucoup sur ces terres. Une semaine ne suffirait pas à les répertorier.

Jeffran repoussa une mèche. Il ramassa un coquillage.

— Il doit être isolé, très vieux, tordu, fendu, peut-être même à un endroit que les anciens considéraient comme sacré.

— J'ai entendu parler de ton aventure dans la zone froide, ne te laisse pas influencer par les "pro-légendes".

— Comment l'as-tu appris ? Rymon nous a montré des choses incroyables, des livres d'anciens, des musiques. Je ne partage pas son fanatisme, cependant mes convictions sont ébranlées. Doit-on taire toute l'histoire des anciens ?

— Je l'ignore. Nous vivons une ère de reconstruction de l'humanité. Celle-ci est encore bien trop fragile pour supporter certaines vérités. Nous devons créer une harmonie universelle. La paix est notre seule chance de survie. Jellane et Klara le savaient. Ne les jugent pas.

— Comment as-tu appris mon aventure dans la zone froide ?

— Maître Duracq…

— Duracq ! Comment ?

— Il nous a prévenus de ton départ à bord de l'hélicoptère. Il craignait pour ta vie, et celle de la Première Élite.

— Duracq…

Jeffran était atterré.

CHAPITRE 79 – an 2066

Luciane se réveilla en sursaut. Son communicateur venait de vibrer.

— Bonjour Maître Bernin. Que se passe-t-il ?

— Igor a des failles. Sur les écrans défilent des chiffres, des mots, des phrases incompréhensibles.

— Quel genre de chiffres ? Quel genre de mots ?

— Je l'ignore. Comme une langue des anciens, me semble-t-il. Venez vite.

La communication faiblissait, son communicateur s'éteignit.

— Carmen que se passe-t-il ?

Elle prit conscience du silence soudain.

— Carmen ! Réponds !

La Première Élite dévala les escaliers, retira le tableau au paysage marin, l'image de Jeffran lui traversa l'esprit, elle déverrouilla le code fébrilement et se jeta sur la console.

— Carmen, ce n'est pas le moment. Elle pianota plus d'une demi-heure. Enfin l'écran s'alluma.

— Bonjour Luciane. Pourquoi m'as-tu désactivée ?

— Ce n'est pas moi Carmen, que se passe-t-il ?

— Igor ne répond pas, je pense que quelqu'un le contrôle.

— Rymon !

— Luciane le réseau est actif !

— Oh non ! Bride-le Carmen. Fais tout ce que tu peux, mais bride-le ! Je file au Labo. Ah oui Carmen débloque-moi mon communicateur et celui de tous les Élites.

— C'est déjà fait.

Luciane poussa un soupir de soulagement.

— Merci. Reste en contact. Je t'ai mis un autre code de désactivation. Ne le communique à personne.

L'agitation était à son comble dans le Grand Laboratoire. On murmurait les yeux rivés sur les écrans. Elle se dirigea vers le hangar de construction. Les mécaniciens s'affairaient sur l'Osbern.
Jeanne l'interpella.

— Luciane, l'AGENCE vous attend.

— Dis leur de venir me rejoindre ici

— Ici ? Pourquoi ?

— Ici il n'y a aucun écran relié sur le programme général d'Igor. Le bruit des instruments couvrira nos conversations des oreilles indiscrètes.

Dix minutes plus tard, d'une voix calme et assurée, elle établit un compte-rendu de la situation.

— Je soupçonne Rymon d'être derrière cette attaque. Carmen était, elle aussi, inopérationnelle ce matin. Je l'ai reformatée en sauvegardant sa mémoire. Ce qui défile sur les écrans ce sont les versets de la bible.

— La quoi ? demanda Maître Albin.

— La bible. C'est un livre sacré des anciens. L'histoire de l'une de leur religion. Jellane s'était efforcée à les enfouir dans l'oubli car ces religions furent la cause de la Grande Guerre. La bible est écrite dans un très vieux dialecte. Les versets projetés actuellement racontent comment est né le fils de Dieu.

Maître Bernin se leva.

— Une bible, un vieux dialecte, des versets, un fils de Dieu ! Mais qu'est-ce que c'est cette histoire de fou ? s'écria-t-il.

— Calmez-vous ! intervint Maître Andria. Luciane comment connaissez-vous cette histoire ? Savez-vous traduire ce langage ?

— Rymon, c'est Rymon durant mon enlèvement dans la zone froide. C'est lui qui nous a dévoilé tout cela.

Maître Andria rougit et serra les poings.

— Bon comment allons-nous résoudre ce problème ?

Les quatre Élites se tournèrent vers Maître Duracq.

— Oui, reprit-il calmement, la situation exige beaucoup de discernement et de prudence. Pour le moment, seuls les écrans du Labo sont piratés, si comme le précise Carmen, le réseau est à nouveau débridé, alors chacun sur le globe pourra lire ces textes. Je ne doute pas un seul instant de la témérité des "pro-légendes". Ils afficheront la traduction. Nous devons reformater Igor au plus vite.

— Vous vous rendez compte des données que contient sa mémoire ? Pour une complète sauvegarde il faudra trois jours !

— Peut-être pas Maître Bernin.

Les regards se fixèrent à nouveau sur la Première Élite.

— Carmen censure le réseau, elle a réussit à réactiver nos communicateurs. Jusqu'à présent, elle était reliée à Igor, mais sa mémoire n'est pas atteinte. Il nous faut un serveur neutre et vierge, Carmen y déposera la mémoire d'Igor. Si nous le reformatons directement, je crains que nous perdions de précieuses données. Carmen est capable d'une telle prouesse.

— Vous avez notre approbation Luciane, signifia Maître Duracq.

CHAPITRE 80 – an 2066

Son communicateur ne répondait pas. Que se-passait-il ? Jeffran s'inquiétait. Il avait envoyé un message à Carmen. En vain. Il arpentait la yourte de long en large depuis plus d'une heure.

— Tu veux bien nous expliquer ? Tu me donnes le tournis

Hildina lui tendit une tasse de café.

— Mon communicateur est inactif. Je n'arrive pas à joindre Luciane. Carmen ne répond pas non plus. Ce n'est pas normal. Quelque chose est arrivée.

— Te voilà bien pessimiste ! Tu as dit que les tests étaient en cours sur l'Osbern, peut-être que cela a perturbé quelques heures la réception ? le rassura Garren.

Il lâcha brusquement la tasse de café. Son communicateur venait de vibrer.

— Carmen ! Qu'y-a-t-il ? Comment va Luciane ?

— Luciane va bien. Elle est au Grand Labo en réunion avec l'AGENCE. Nous avons été piratés. Luciane soupçonne Rymon. Le réseau est débridé. Les "pro-légendes" se sont infiltrés au cœur d'Igor. Des pages de la bible défilent. Nous devons le reformater.

— Le reformater ? Mais nous allons perdre toutes ses données.

— Non pas toutes. Luciane me transfère toute la mémoire d'Igor. Je te mets en écoute de la réunion.

Luciane, la voix grave et autoritaire, annonçait :

— Je ne peux régler toutes les tâches administratives m'incombant. Avant d'être Première Élite, je suis chercheuse, et mon devoir actuel est d'éviter une catastrophe planétaire. Il se peut aussi qu'un jour je sois de nouveau obligé de m'absenter, aussi je nomme en Première Élite vacancière…

Elle marqua une courte pause afin d'observer les visages inquiets des membres de l'AGENCE.

Jeffran, à l'autre bout de la planète retenait son souffle.

L'AUTEUR

Myriam ARBO est née dans le Nord.
Elle écrit depuis l'enfance.
À l'adolescence, elle écrit un recueil de poèmes
« L'Ombre du temps »
(bientôt en édition).

De formation graphique,
elle exerce différents métiers comme maquettiste, illustratrice,
correctrice et webdesigner.

Sa vie de famille, son travail et ses diverses occupations
(correspondante, membre d'un atelier d'écriture, écrivain public…)
laissent peu de temps pour la rédaction de romans.
Depuis un peu plus d'un an,
elle se consacre enfin à l'écriture
et termine le premier tome d'une trilogie.

LES SYMBOLES

Le symbole de la pierre philosophale.
Ce symbole est dessiné sur les vestes thermoprotectrices des membres
et employés de l'AGENCE.

Le symbole de l'Awen.
Symbole du bracelet d'Erwin.

Un pan de certaines énigmes se soulèvera dans le tome 2 :

Les « pro-légendes » ont diffusé partout sur le globe le message du jugement dernier.
Jeffran trouve les coordonnées pour le lancement de l'Osbern.
Qui Luciane nommera-t-elle ?
Qui a volé le livre dans le grenier de Luciane ? Pourquoi ?
L'Osbern sera-t-il lancé à temps ?
Trouveront-ils le secret de leurs visions ?
Quel est le secret que cache le pendentif ?
Quel est ce terrible danger ?

La quête de Chérum et d'Yvonic aboutira-t-elle ?
Quel sera le sort d'Alvina ? Carlos de Franga retiendra prisonnier Sieur Gustin et Mirata. Pourquoi ? Qui les aura trahis ?

L'histoire se poursuit…

LEXIQUE :

An 2066 :

<u>Transmolécule :</u>   Transformation des molécules pour la Télé-portation. Système en phase de test.
<u>Cube-livre</u> : Support numérique contenant livres, images et vidéos contrôlés et diffusés par l'AGENCE.
<u>Plastissu</u> : Matière fine permettant une isolation thermique.

LANGAGE de l'An 775 :

<u>Galéjade</u> : Histoire, mystification, plaisanterie.

<u>Occire</u> : Tuer.

<u>Duègne</u> : Dame d'un certain âge servant de chaperon, de gouvernante.

<u>Huron</u> : Celui qui exerce un métier modeste (vieux français).

<u>Marchand de Bourrette</u> : Marchand de tissu.

<u>Passe-velours</u> : Couleur rouge-bordeaux.

<u>Charton</u> : Conducteur d'un chariot.

<u>Hypocras</u> : Boisson à base de vin, sucrée au miel et aromatisée.

<u>Haut-de-Chausse</u> : Vêtement qui couvre le corps de la ceinture au genou.

Bliaud : Longue tunique de laine ou de soie.

Guiterne : Instrument de musique médiéval à cordes pincées.

Palefroi : Cheval de marche utilisé par le chevalier ou par la dame pour se déplacer.

Mande : Sorte de paniers et de corbeilles en osier.

Corbillon : Espèce de petite corbeille.

Élégiaque : Triste et mélancolique.

Ébaubi : Étonné, vivement surpris.

Rosier gallique : Ancêtre de toutes les roses, cultivés généralement en 775 près des édifices religieux.

Coule : Vêtement à capuchon, utilisée dans la liturgie catholique.

Célicole : Nom de quelques hérétiques qui parurent sur la fin du IVème siècle.

Se dégengler : Se moquer.

Banneret : Celui qui, ayant un nombre suffisant de vassaux, a droit de lever bannière, c'est-à-dire de former avec eux une compagnie en vue du combat.

Thaumaturge : Celui qui accomplit des miracles et des guérisons par le contact de ses mains. Il désigne aussi un magicien.

Épistole : Épître, lettre, missive.

Bure : Vêtement fait de laine grossière, de couleur brune, porté par les religieux de certains ordres ayant fait vœu de pauvreté.

Cazelle : Petite cabane de pierres sèches.

REMERCIEMENTS

Á François pour ses conseils avisés lors de la conception des couvertures et qui m'a encouragé à l'édition de ce premier tome.
Á Philippe qui fut aussi l'un de mes premiers lecteurs.
Á Elodie pour ses idées.
Et à tout ceux qui m'ont encouragé à persévérer.

Image de couverture : Conçu par Kjpargeter - Freepik.com